Hannover eine Gastwirtschaft führten. Rothe trieb sich oft bis spät in die Nacht am Bahnhof herum.
de Spur — Der siebzehnjährige Kaufmannslehrling **FRITZ** ?. Februar
hellgraue Stoffgamaschen. Nach seiner Ankunft in Hannov mann ihn
IELM SCHULZE wird seit dem 30. März 1923 vermis ein Eltern-
ND HUCH hatte sich am 23. Mai 1923 aus der elterlic fernt. Seit-

urs Wegehenkel dem Kutscher Alexander Huth angeboten — Der neunzehnjährige Arbeiter **HANS**
nahmten Kleidungsstücken wurden von Sonnenfelds Eltern ein Taschentuch mit den Initialen »H.S.«,
es zugeordnet — Der siebzehnjährige Schüler **ERNST EHRENBERG** aus Hannover verließ
Eltern des Ehrenberg haben unter den asservierten Kleidungsstücken ein Paar Hosenträger wieder-
RICH STRUSS wird seit dem 20. August 1923 vermisst. Seine Eltern haben unter den sicher-
el sind bei Haarmann beschlagnahmt worden — Der fünfzehnjährige Dreherlehrling **PAUL**
Fahrt von Garz nach Bochum in Hannover umsteigen müssen. Haarmann verkaufte kurz nach Broni-
n Zeugen Jetschmann — Der siebzehnjährige Arbeiter **RICHARD GRÄF**, wohnhaft in Hanno-
m Herrn, der ihm Arbeit verschaffen wolle. Seitdem wird Gräf vermisst. Er trug einen dunkelblauen
nann hatte ihn kurz nach Gräfs Verschwinden an Frau Wegehenkel verkauft — Der sechzehnjährige
ugen in Begleitung Haarmanns am Bahnhof gesehen. Unter den polizeilich beschlagnahmten Gegen-
rmann in der Wegehenkel'schen Wohnung der Zeugin Stille geschenkt — Der dreizehnjährige Schü-
dem wird er vermisst. Er trug einen braunen Manchesteranzug und einen Rucksack. Seine Mutter
nanns Verschwinden an Frau Wegehenkel verkauft — Der siebzehnjährige Zimmermann **ADOLF**
er vermisst. Seine feldgraue Weste und sein schwarzer Rock wurden in der Wohnung Haarmanns
ST SPIECKER hatte nach Aussagen verschiedener Zeugen des Öfteren Umgang mit Haarmann.
ht weniger als neun Kleidungsstücke wiedererkannt. Den Mantel Spieckers hatte Haarmann selbst
auf dem Körper trug — Der zwanzigjährige Arbeiter **HEINRICH KOCH** wurde zuletzt am 25.
ten Sachen sind durch seine Eltern eine Hose, ein Binder und ein Paar Strümpfe identifiziert. Die
n. Kochs Strümpfe wurden in Haarmanns Wohnung beschlagnahmt — Der zwanzigjährige Arbeiter
en zu wollen. Seitdem ist er verschwunden. Sein brauner Mantel und sein Selbstbinder sind unter
HERMANN SPEICHERT ist seit dem 8. Februar 1924 in Hannover vermisst. Er hatte sich
agen und das Vorhemd wurden in Haarmanns Wohnung beschlagnahmt — Der siebzehnjährige Lehr-
m Tisch im Wartesaal II. Klasse gesehen. Der Krimmärmantel und die graumelierte Jacke Hogrefes
slehrling **WILHELM APEL** wird seit dem 17. April 1924 in Hannover vermisst. Unter den bei
gestopfte Stutzen — Der achtzehnjährige Lehrling **ROBERT WITZEL** erbat sich am 26. April
ß kariertes Jackett mit Weste wurde unter den Kleidungsstücken aus Haarmanns Wohnung zweifels-
dem 10. Mai 1924 vermisst. Er war von zu Hause fortgelaufen, wollte nach Hamburg oder Bremen
Martins blaue Sportmütze mit dem Signet »H.M.«, seine blaue Schlosserjacke und sein weiß-rot gehä-
handlung. Er ist in Hannover vermisst. Das letzte Lebenszeichen, das seine Eltern von ihm erhielten,
ei Grans beschlagnahmten Kleidung — Der elfjährige Schüler **FRIEDRICH ABELING** ver-
n Kleidungsstücken — Der sechzehnjährige Schlosserlehrling **FRIEDRICH KOCH** wurde am
Koch verschwunden. Kochs Wachstuchtasche und ein Buch, das den Stempelabdruck »Friedrich Koch«
IES verabschiedete sich am 13. Juni 1924 aus der elterlichen Wohnung, um baden zu gehen. Seit-
ug, den die Eltern auf Grund eines Brandlochs am linken Hosenbein zweifelsfrei erkannten.

HAARMANN

Peer Meter
Szenario und Text

Isabel Kreitz
Zeichnungen

HAARMANN

CARLSEN
graphic novel

Gleichwohl sämtliche Ereignisse und Personen dieser Geschichte den Kriminalakten entnommen sind, erhebt sie nicht den Anspruch, die Vorgänge in historisch exakter Reihenfolge nachzeichnen zu wollen. Aus dramaturgischen Gründen wurden Handlungsstränge und Personen teilweise aus der zeitlichen Abfolge gelöst und neu montiert. Lediglich Friedel Rothe wurde aus Respekt vor den Opfern eine fiktive Vita zugedacht. Historisch korrekt war Rothe das erste Opfer Haarmanns und stammte aus Hannover.

CARLSEN COMICS NEWS
Jeden Monat neu per E-Mail
www.carlsencomics.de
www.carlsen.de

2 3 4 5   13 12 11 10
© Carlsen Verlag GmbH • Hamburg 2010
ORIGINALAUSGABE
Published by arrangement with Paul Derouet, Contours
Redaktion: Michael Groenewald
Scans und Bildbearbeitung: Natascha Hess
Lettering: Jörn Götzke
Schrift: Dirk Rehm (BlackHole)
Herstellung: Bettina Oguamanam und Stefan Haupt
Dank an Lutz Göllner
Druck und buchbinderische Verarbeitung: Westermann Druck GmbH, Zwickau
Alle Rechte vorbehalten
ISBN 978-3-551-79107-8
Printed in Germany

Horchen Se ma, wie det knackt, wie Putz hinter de Tapete runterjeschoddert kommt! Allens is hier morsch! Allens faulet Holz! Allens unterminiert von Unjeziefer, von Ratten und Mäuse zerfressen! Allens schwankt! Allens kann jeden Oojenblick bis in Keller durchbrechen.

Gerhart Hauptmann, *Die Ratten*

1

ALLES MENSCHEN-KNOCHEN!

DER GANZE FLUSS IST VOLLER MENSCHEN-KNOCHEN!
DIE HÄTTEN DIE LEINE SCHON VIEL FRÜHER TROCKENLEGEN SOLLEN...
GLEICH ALS DAS HIER ANFING MIT DEN KNOCHEN!

BITTE UM VORSICHT, HERR KOMMISSAR!

... DIE STEINE SIND GLITSCHIG.

IST JA KAUM ZU GLAUBEN, WAS DA UNTEN ALLES LIEGT ...

WIR MÜSSEN ABWARTEN, BIS DAS WASSER GANZ ABGELAUFEN IST, HERR KOMMISSAR!

... ES SOLLTE DOCH VERMIEDEN WERDEN, DIE BEVÖLKERUNG UNNÖTIG IN ANGST ZU VERSETZEN.
LASSEN SIE ALS ERSTES MAL DIE KNOCHEN ABDECKEN ...

UND DANN LASSEN SIE GEFÄLLIGST DIE BRÜCKE RÄUMEN.
JAWOHL!

LASSEN SIE BEKANNT GEBEN, DASS ES SICH HIER UM DIE TYPHUSTOTEN HANDELT ...
... DIE MAN IM HERBST IN ALFELD IN DIE LEINE GEWORFEN HAT.

... IM HERBST!
JAWOHL, HERR KOMMISSAR!
WO STECKT DENN DER DOKTOR?

HERR DOKTOR SCHACKWITZ IST UNTEN IM FLUSSBETT. SOLL ICH IHN RUFEN LASSEN?
NEIN, NEIN.
GEBEN SIE MIR BESCHEID, WENN ER HIER FERTIG IST.

JAWOHL, HERR KOMMISSAR!

WIE KOMMEN ALL DIE MENSCHEN-KNOCHEN DA UNTEN IN DIE LEINE?
DIE SIND VON DEN TYPHUSTOTEN, DIE IN ALFELD IN DEN FLUSS GEWORFEN WURDEN.
LETZTEN HERBST, WÄHREND DER TYPHUS-EPIDEMIE.

VERLASSEN SIE JETZT DIE BRÜCKE!
... DAS SIND DOCH KEINE KNOCHEN VON TYPHUS-TOTEN.

DIE FINDEN DOCH SCHON SEIT JAHREN KNOCHEN IM FLUSS!
... DIE MÄGDE WOLLEN NICHT MEHR NACH HANNOVER ZUM EINKAUFEN...
HIER HAUST EIN MENSCHEN-SCHLÄCHTER!

... SPURLOS VERSCHWUNDEN SIND DIE...
ES GIBT MENSCHENFALLEN IN HANNOVER!
WEITERGEHEN!
LOS, WEITER-GEHEN!

... UND DIE POLIZEI UNTERNIMMT NICHTS!

stisch
Motore

J. Flö

OOOH!

OOOH!
HANS... OOOH!

OOOH!
FRITZ!
HÖR AUF!
FRITZ!

OOOH!
OOOH! HANS...
HE!
BISTE VERRÜCKT, MENSCH?!

FRITZ!
HAH!
HÖR AUF!

AU...
... ERWÜRGST MICH JA, MENSCH!
OOCH, HANS...
... NU KOMM DOCH WIEDER HER...

... BITTE!
NUR KÜSSEN, HANS!
NUR EIN KUSS!
»NUR EIN
KUSS, NUR EIN
KUSS!«

HÄTTEST MICH
FAST ERWÜRGT,
MENSCH!
MACH DAS
MIT ANDEREN!

BIS NICH
GUT ZU DEIM
FREUND FRITZ
HAARMANN!

... HAB
DIR 'N STÜCK
HARZER MITGE-
BRACHT.

SIEHSTE WOHL,
DASS ICH GUT ZU
DIR BIN!

ACH, HANS...
WEISST DOCH, BIST DER EINZIGE, DEN ICH HAB...

HAB AUCH WIEDER NEUE SACHEN FÜR DICH.
WO DENN?

KANNS MA AN 'N SCHRANK GEHN UND INNE KISTE NACH-KUCKN.

HAST JA AUCH WIEDER FLEISCH.

BLEIB MIR JA VOM FLEISCH WECH!
DASS MIR NICH BEIGEHS AN MEIN FLEISCH! HAS NIX ZU SUCHEN!
IS JA GUT. IS JA GUT.

DER IST JA NOCH WIE NEU! DER BRINGT SEINE ZWANZIG!

'NE HOSE IS AUCH DA...
... UND 'N PAAR SCHUH, 'NE WESTE, 'N HUT UND 'NE KRAWATTE.

HERR HAARMANN?!
TOCK
TOCK

WER IS'N DA?
DIE FRAU BERTRAM.
ACH, HABEN SIE NICHT WIEDER MAL 'N BISSCHEN FLEISCH FÜR MICH?
WARTEN SE MA...
HAB GRAD GUTES PFERDE-FLEISCH GE-KRICHT.
ERST MA GUTEN TACH AUCH.
SIE HABEN FLEISCH?
WÄR ICH DOCH GLEICH ZU IHNEN GEKOMMEN. IN DER GANZEN STADT IST JA MAN NIX ZU KRIEGEN!
KOMMSE ERST MA REIN, FRAU BERT-RAM.
OH, DER JUNGE HERR GRANS. GUTEN TAG AUCH.
TAG, FRAU BERTRAM.
SETZEN SE SICH MA FÜR 'N MOMENT AN 'N TISCH, FRAU BERTRAM.

ICH WERD MA SEHN, WIE VIEL FLEISCH ICH FÜR SIE HAB.

NA, DA SIND SIE WOHL FROH, UNSEREN HERRN HAARMANN ZU KENNEN, WAS?

STELLEN SIE SICH DOCH NUR MAL VOR, HERR GRANS...
... DEN GANZEN MITTAG LAUF ICH FÜR FRISCHES FLEISCH DURCH DIE STADT.

SIE GLAUBEN JA GAR NICHT, WIE EINEN DAS MITNIMMT BEI FÜNF KINDERN.
DA LEIDET MAN DIREKT SEELISCH...

KANN ICH IHNEN NACHFÜHLEN, DIESES SEELISCHE LEIDEN.
GEHT MIR JA AUCH SO, NUR ANDERS...
BEI DER UNTERWÄSCHE! VIER IST MIR ZU KLEIN, FÜNF WIEDER ZU GROSS!
DARUNTER LEIDE ICH. KÖNNEN SIE DAS VERSTEHEN?

SOLL ICH IHNEN MAL WAS ABNÄHEN? TU ICH DOCH GERN FÜR SIE!
UND WENN SIE MAL WIEDER GEBRAUCHTE KINDERKLEIDUNG HABEN...

KINDERKLEIDUNG IS GERADE SCHLECHT.
ABER 'N SCHÖNEN HERRENMANTEL HÄTT ICH. FAST NEU...
DEN KANN ICH NU GRAD NICHT BRAUCHEN.

GUTE DREI PFUND, FRAU BERTRAM.
IS DAS GENUCH?
MIT SO VIEL HAB ICH JA GAR NICHT GERECHNET!

MACHT GENAU FÜMFUNDNEUNZICH PFENNICH.
... UND DANN IST ES BEI IHNEN IMMER SO VIEL BILLIGER, HERR HAARMANN!

IMMER UMME HÄLFTE.
IS 'N PRINZIP VON MIR.

WARTEN SE, ICH HAB NOCH 'N PAAR KALBSKNOCHEN.
... DIE GEB ICH IHN SO MIT.
OH, JA! DA MACH ICH SÜLZE VON.
ICH HAB SE IHN AUCH SCHON ZERHACKT.
DANN HAMSE DA WENIGER ARBEIT MIT.

IGITTE!
DIE SIND JA SO WEISS! DA WIRD MIR JA GANZ FIES VON!
WIESO?
LASSEN SIE MAL DIE KNOCHEN...
DAS FLEISCH IST MEHR ALS GENUG!
HIER!
IHRE FÜNFUNDNEUNZIG PFENNIGE.
... UND WENN SIE MAL WIEDER KINDERMÄNTEL HABEN, HERR GRANS, DENKEN SIE AN MICH!

WAS SIND DAS DENN FÜR KNOCHEN?
KALBS-KNOCHEN.

... VON SCHLACHTER-KARL AM BAHNHOF.
HAS NOCH 'N STÜCK HAR-ZER?

ICH BRING HEUT ABEND WIEDER WEL-CHEN MIT.
WAS WILL-STE DENN FÜR DEN MANTEL HABEN?

NIX, DEN KRIS SO MIT.
ABER BLEIB MIR HEUT ABEND MITTE WEIBERS AUS 'M HAUS. DIE WILL ICH HIER NICH HABEN!

ICH DENK, WIR WOLLEN 'N BÜSCHN FEIERN?
JA, ABER MIT JUNGS! BRING DOCH 'N PAAR JUNGS MIT!

WAS HABEN SIE DENN DA IN DEM EIMER?

NIX!
NATÜRLICH HABEN SIE DA WAS! DA WIRD DOCH WAS VERDECKT!

NEE, NEE!
SIE SIND DAS ALSO, DER IMMER SEINE ABFÄLLE IN DAS KLOSETT WIRFT!

NEE, FRAU DANIELS...
ICH WOLLT NUR MA WAS ANNE LEINE NACHKUCKN.

UND WOZU BRAUCHEN SIE DA EINEN VOLLEN EIMER?

... ICH HAB AUCH WIEDER FLEISCH FÜR SIE, FRAU DA-NIELS.
IHR FLEISCH IST MIR NICHT KOMMOD!
DA ESS ICH LIEBER GAR NICHTS!

ICH WERD IHNEN SOWIESO DAS ZIMMER KÜNDIGEN!
SIE BRINGEN MIR ZU VIEL UNRUHE INS HAUS!

DAS GEHT JA ZU WIE IM TAUBENSCHLAG! UND IMMER NUR JUNGE BENGELS!
LETZTE NACHT WAR SOGAR EINER NACKT AM FENSTER!

FRAU DANIELS, ICH...
SIE ZIEHEN MIR AUS!
UND WENN DAS KLOSETT WIEDER VERSTOPFT IST, ZEIGE ICH SIE BEI DER POLIZEI AN!

BAMM
FRAU DANIELS...!

WO IS 'N DAS WASSER?
ES WURDE DOCH BEKANNT GEGEBEN, DASS DIE LEINE KURZFRISTIG ABGESENKT WIRD.

WIESO 'N?
DER KNOCHENFUNDE WEGEN!
WEIL IN ALFELD DIE LEICHEN DER TYPHUSTOTEN IN DIE LEINE GEWORFEN WURDEN...
IN ALFELD?

HERR DOKTOR SCHACKWITZ!
HERR DOKTOR SCHACKWITZ!

JA, WAS IST DENN?
DER HERR KOMMISSAR MÜLLER IST OBEN...

ER HAT SCHON ZWEIMAL NACH IHNEN GEFRAGT, HERR DOKTOR!
JA, ICH KOMME!

KÖNNEN SIE SCHON WAS SAGEN, DOKTOR?
ZWANZIG PAAR UNTERSCHENKEL-KNOCHEN HABEN WIR BISLANG GEFUNDEN.

NUN JA...

DEMNACH HABEN WIR ES MIT WENIGSTENS ZWANZIG TOTEN ZU TUN!

WIE SCHON BEI FRÜHEREN FUNDEN IST AUCH HIER ZU ERKENNEN, DASS SIE MIT EINER SÄGE ZERKLEINERT WURDEN!

JA... SCHEINT, ALS SEI DAS FLEISCH REGELRECHT VON DEN KNOCHEN ABGE-SCHABT WORDEN!
UND DIE SCHÄDEL? WO SIND ALL DIE SCHÄDEL?

FÜNF HABEN WIR BISLANG GE-FUNDEN.
SIE WUR-DEN MIT EINEM GLATTEN SCHNITT VOM RUMPF AB-GETRENNT.

MAN KÖNNTE FAST MEINEN, SIE KÄ-MEN AUS DER ANATOMIE.
MOMENT...
DIESER HIER ZUM BEI-SPIEL...
... DIE KOPFHAUT WURDE MIT EINEM SCHARFEN MESSER SAUBER VON DER SCHÄDELDECKE AB-GEZOGEN.

2

TOCK
TOCK

JA?
ICH BITTE DRINGEND DARUM, ZU HERRN KOMMISSAR MÜLLER VORGELASSEN ZU WERDEN.
WAS WOLLEN SIE DENN SCHON WIEDER VOM HERRN KOMMISSAR MÜLLER?
DAS KANN ICH DEM HERRN KOMMISSAR NUR PERSÖNLICH SAGEN.

BITTE! ES IST WICHTIG.
HRM!

TOCK
TOCK

JA, WAS IST DENN?
DER ZIGARRENHÄNDLER CLOBES IST MAL WIEDER DA, HERR KOMMISSAR.

... ER SAGT, ES SEI DRINGEND.
BITTE, HERR KOMMISSAR, ES IST SEHR WICHTIG!

ALSO... IN GOTTES NAMEN, KOMMEN SIE REIN.

SOLL ICH GLEICH MITPROTOKOLLIEREN, HERR KOMMISSAR?
ERST MAL HÖREN, WAS ER WILL...
ICH RUFE SIE DANN GEGEBENENFALLS.

ALSO...
WAS GIBT ES DENN SO WICHTIGES?

ES GEHT UM DIE MENSCHEN-KNOCHEN, DIE VOR DREI TAGEN IN DER LEINE GEFUNDEN WURDEN...
JAWOHL! ICH HAB IN DER VORLETZTEN NACHT EINE BEOBACHTUNG GEMACHT!
DIE KNOCHEN-FUNDE?
SIE WISSEN DOCH, DASS ICH VON MEINEM GESCHÄFT AUS DIREKT ZU DIESEM HAARMANN HINÜBER-SEHEN KANN...
NA UND?
VORGESTERN NACHT HABE ICH BE-OBACHTET, WIE ER MIT EINEM GROSSEN SACK AUF DEM RÜCKEN AUS SEINER WOHNUNG KOMMT...
SO! SIE SEHEN ALSO DEN MANN MIT EINEM GROSSEN SACK AUS SEINER WOHNUNG KOMMEN.
NA UND?
WAS SOLL DAS MIT DEN KNOCHENFUNDEN ZU TUN HABEN?
ES WAR MIR VERDÄCHTIG.

ES WAR IHNEN VERDÄCHTIG?
WAS IST DENN DARAN VERDÄCHTIG?
JETZT KOMMEN SIE MIR BALD JEDE WOCHE MIT IRGENDWELCHEN BEOBACHTUNGEN, DIE SIE BEI HAARMANN GE…
BEI HAARMANN GEHT ES NICHT MIT RECHTEN DINGEN ZU!
IST ES NICHT AUFFÄLLIG, DASS ER IMMERZU GEBRAUCHTE MÄNNERKLEIDUNG ZUM VERKAUF ANBIETET?
DER MANN IST SCHLIESSLICH ALTKLEIDERHÄNDLER!
DA WIRD ER WOHL AUCH IN DEM SACK ALTKLEIDER GEHABT HABEN!

ICH BEOBACHTE OFT, WIE ER JUNGE BURSCHEN MIT ZU SICH INS HAUS NIMMT.
ABER ICH HABE NOCH KEINEN WIEDER HERAUSKOMMEN SEHEN!

DAS ALLES HABEN SIE MIR DOCH SCHON VOR ACHT WOCHEN ERZÄHLT!
WIR HABEN DANN JA AUCH HAUSSUCHUNG GEMACHT.
UND WAS HABEN WIR GEFUNDEN? NICHTS!

WEIL DIESE HAUSSUCHUNG ZU EINEM ZEITPUNKT ERFOLGT IST...
UND DER ANGEB-LICH VERSCHWUNDENE SPAZIERT ANDERNTAGS SEELENRUHIG DURCH HANNOVER!

SIE SEHEN GESPENSTER!

ABER HERR KOMMISSAR, NICHT NUR MIR IST HAARMANNS TREIBEN VERDÄCHTIG. SEINE HAUSNACHBARN SAGEN, DASS IN MANCHEN NÄCHTEN LICHT BRENNT UND DIE FENSTER VER-HÄNGT SIND...
UND BIS ZUM MORGEN SOLL ES HÄMMERN, SÄGEN UND KLOPFEN, ALS WENN EINER KNOCHEN UND FLEISCH HACKT!
WAS WOL-LEN SIE DAMIT SAGEN?

... AM NÄCHS-TEN TAG VER-KAUFT ER FLEISCH UM DIE HÄLFTE BILLIGER!

ICH MUSS DOCH SEHR BITTEN!
KOMMEN SIE WIEDER ZU SICH!

ICH BIN BEI MIR, HERR KOMMISSAR!
DAS VERSCHWINDEN DER MENSCHEN UND DIE VIELEN KNOCHEN... BEIDES HAT MIT HAARMANN ZU TUN!
UND ICH VERLANGE, DASS MEINE AUSSAGEN ZU PROTOKOLL GENOMMEN WERDEN!
GEHEN SIE INS VORZIMMER, DA WIRD DAS ERLEDIGT.

UND WENN AN DER SACHE DOCH WAS DRAN IST?
LASSEN SIE'S GUT SEIN, MEIN LIEBER RÄTZ.
DIESER ZIGARRENDREHER IST UNS HINLÄNGLICH BEKANNT.

FRITZ HAARMANN IST EINER UNSERER BESTEN SPITZEL... UND IM VERTRAUEN: ER HAT VON MIR EINEN POLIZEIAUSWEIS ERHALTEN...

ÖCHÖ
ÖCHÖ
... ER HAT WAS?!
NICHT OFFIZIELL NATÜRLICH.

HAB IHM AUCH GLEICH ORDER GEGEBEN, NACHTS MAL DEN HAUPTBAHNHOF UNTER BEOBACHTUNG ZU HALTEN.
DA TREIBT SICH DOCH UM DIESE ZEIT DER AUSWURF DER STADT HERUM.
ABER HAARMANN IST EIN STADTBEKANN-TER HOMOSEXUELLER, DER SCHON MEHRFACH IM ZUCHTHAUS GE-SESSEN HAT.

NUN MAL LANGSAM, MEIN LIEBER RÄTZ!
UND VOR ZWEI JAHREN, IN DER SACHE HEINZ GAUKO... HAT ER DA NICHT UNTER MORDVERDACHT GESTANDEN?
NUR UNTER VERDACHT. BE-WEISEN LIESS SICH NICHTS!
LASSEN SIE HAARMANN MAL IN RUHE ARBEITEN. ER IST UNS UNGEMEIN WERTVOLL.

WOHER KAM SCHLIESSLICH DER ENT-SCHEIDENDE HINWEIS, DER ZUR VERHAFTUNG DER GELDFÄLSCHERBANDE GEFÜHRT HAT?
VON HAARMANN!
UND DER SCHIEBERRING UM HARRY ZIETHEN? HAARMANN!

DENNOCH BLEIBT ER EINE GEFÄHRLICHE PERSON!
MAN MUSS SICH SOLCHER MENSCHEN NUR ZU BEDIENEN VER-STEHEN, MEIN LIEBER RÄTZ.
MAN BE-DIENT SICH IH-RER, BEHÄLT SIE ABER SCHARF IM AUGE.

KRIMINAL HAARMANN... ZEIGEN SE MA IHREN AUSWEIS!

ICH HAB MEINEN AUSWEIS VERLOREN... ICH...

VERLOREN? BIS VON ZU HAUS AUSGEBÜXT, WA? WIE HEISST 'N?
FRIEDEL ROTHE, HERR KRIMINAL...

NA, KOMM MA MIT AUFFE WACHE, FRIEDEL!
WERD ICH JETZT EINGESPERRT?

DA HAS ANGST VOR, WA? NEE, FRIEDEL, BRAUCHS NICH BANGE SEIN!
WEISS, WAS? ICH MUSS MORGEN WIESO ZUR KOMFERENZ AUFS PRÄSIDIUM.

DA WERD ICH 'N GUTES WORT FÜR DICH EINLEGEN.
UND JETZ KOMMS ERS MA MIT ZU MIR.

Gepäckannahme
KANNS DIE NACHT BEI MIR SCHLAFEN.
KANNS AUCH FRITZ ZU MIR SAGEN.
WEISS, FRIEDEL, ICH GEHÖR NEMICH ZUR MITTERNACHTS-MISSION.
DA MUSS ICH ALLE JUNGEN MÄNNER, DIE ICH AUF'N BAHNHOF ANTREFF, KONTROLLIEREN.
ABER FÜR DICH, FRIEDEL...
HAARMANN!

NA?
IST DER KRIMINAL HAARMANN MAL WIEDER UNTERWEGS?

WEN BRINGT ER UNS DENN DA?
NEE!
NEE, NEE, DER NICH!
NEE, DAS IS MEIN FREUND FRIEDEL. ABER ICH WOLLT WIESO AUFFE BAHNHOFSWACHE KOMM...
INNER WARTE-HALLE ZWEITER SIND NEMICH ZIGEUNER-WEIBERS UND BETTELN.
IM WARTESAAL ZWEITER?
JA. HAB AUCH WIEDER FLEISCH...
NICHT IM DIENST!
SCHICK MAL MORGEN JEMANDEN DA-MIT RUM.
WERD ICH MACHEN.

SIEHS WOHL, FRIE-DEL...
DER KRIMI-NAL HAARMANN IS 'N WICHTIGER MANN IN HAN-NOVER!

IST ES NOCH WEIT ZU IHNEN, FRITZ?
KANNS DOCH DU ZU MIR SAGEN, FRIEDEL. NEE, NEE, WIR SIND GLEICH DA.
VON WO KOMMS'N EIGENTLICH?

AUS VEGESACK.
WO IS'N DAS?

BEI BREMEN.
H.G. TRAGE
BREMEN?! MUSS MAN DA NICH MIT 'N SCHIFF FAHRN?

MIT DEM SCHIFF? NEIN, MIT DER EISEN-BAHN.
UND WAS WIS IN HAN-NOVER?

EIGENTLICH SOLLTE ICH HIER UMSTEIGEN. ABER MEIN ZUG HATTE VERSPÄTUNG UND DA HAB ICH MEINEN ANSCHLUSS VERPASST...

... UND ZU ALLEM UN-GLÜCK HAB ICH AUF DEM BAHNHOF AUCH MEINE BRIEF-TASCHE MIT GELD UND PAPIEREN VERLOREN...
DA WERD ICH MICH MORGEN AUFFER BAHNHOFS-WACHE GLEICH UM KÜMMERN.

DIE HAS NICH VER-LORN... DIE HAMSE DIR GEKLAUT!

JA?
GLAUBST DU WIRKLICH, ICH WURDE BESTOH-LEN, FRITZ?!

MENSCH, FRITZ, DA BISTE JA ENDLICH!

WIR WOLLTEN GRAD SCHON GEHEN!
WA?

WAS WOLLT IHR DENN?
ICH MUSS WAS GESCHÄFT-LICHES MIT DIR BE-SPRECHEN! WEN HASTE DENN DA NOCH BEI DIR?

DAS IST FRIEDEL. DARF ICH MA EHM BE-KANNT MA-CHEN?
... MEIN MIT-ARBEITER, HERR GRANS ...

... UND DAS SIND ELLI UND DÖRCHEN.
NA, DAS MUSS JETZT ABER GEFEIERT WERDEN!

NEE, HANS, JETZ NICH ...
ICH MUSS AUCH MORGEN SEHR FRÜH AUFSTEHEN, SONST VERPASSE ICH MEINEN ZUG.

ABER ICH MUSS NOCH EBEN WAS MIT DIR BESPRECHEN, FRITZ.
ABER NUR KURZ, HANS.

WARTET MA EHM, ICH MACH ERS MA LICHT!
SIE WOLLEN VERREISEN, HERR FRIEDEL?
ICH BIN AUF DER DURCHREISE NACH MÜNCHEN. ICH DARF MICH AM KONSERVATORIUM VORSTELLEN.
ICH BIN MUSIKER.

WAS FÜR 'N INSTRUMENT SPIELEN SIE DENN?
VIOLINE.

OCH, SPIELEN SIE UNS DOCH WAS VOR, HERR FRIEDEL!
OH JA, HERR FRIEDEL, SPIELEN SIE WAS!

ICH WEISS NICHT... SO GANZ OHNE NOTEN?
NU SCHENIER DICH MA NICH SO, FRIEDEL!

LECH DEIN KOFFER MAN DAHIN...

DAS IS JA 'NE GEIGE!
'NE ECHTE GEIGE!
MENSCH, FRIEDEL...
KANNS DA AUCH WAS DRAUF GEIGEN?
NATÜRLICH!
KANNS AUCH »SO NIMM DENN MEINE HÄNDE«?
DAS KÖNNTE ICH SOGAR OHNE NOTEN.
DAS HAT MEINE MUTTER MIR IMMER VORGESUNG.
OH JA, HERR FRIEDEL! SPIELEN SIE DAS MAL, ICH SING AUCH MIT!
ALSO GUT.
SO NIMM DENN MEINE HÄÄÄNDE UND FÜHRE MICH...
... BIS AN MEIN SELIG ENDE UND EWIGLICH...

SO!
JETZT WOLLEN WIR ABER WAS TRINKEN!

NEE, HANS! HEUT NICH!
GEH MAN WIEDER WECH MIT ELLI UND DÖRCHEN.

WARUM DAS DENN JETZT?
WEIL FRIEDEL MÜDE IS...
KOMM MAN MORGEN WIEDER, HANS.

WIR MÜSSEN DOCH MORGEN FRÜH SOWIESO ZUM SAUBERMACHEN KOMMEN.
IS DENN MORGEN SCHON WIEDER DONNERSTACH? JA, DANN...

KOMMT MAN MORGEN WIEDER.
GUTE NACHT, HERR FRIEDEL.

ICH HAB EINEN NEUEN KUNDEN FÜR KINDERKLEIDUNG! SIEH MAN ZU, DASS DU KINDERKLEIDUNG KRIEGST!

WART MA, FRIEDEL... LECH MA EHM DIE GEI-GE WECH.
WAS IST DENN, FRITZ?

SACH MA, FRIEDEL... HAS SCHON MA POUSSIERT?
POUSSIERT?
WAS MEINST DU DENN DAMIT?

WAS SOLL DAS, FRITZ?
ICH WILL DIR DAS POUSSIEREN ZEIGEN, FRIEDEL, KOMM...

KOMM, WIR LEGEN UNS 'N BÜSCHEN AUFS BETT.
NEIN! ICH WILL DAS NICHT, LASS DAS!

DAS MACHT SPASS, FRIEDEL... KOMM...
ICH WERD DIR 'N BÜSCHEN DEIN HAMMER-STAB PO-LIEREN...
WAS? WAS WILLST DU?!

OOOH...
OOOOH... FRIEDEL...
MENSCH, FRITZ! LASS DAS! ICH WILL DAS NICHT!!
FRITZ!!
FRITZ, NEIN!!
OOOOH... FRIEDEL... OOOH!

LASS DAS!!!
DU SOLLST DAS LAS-SEN!!

BITTE, LASS MICH...

OOOH... FRIEDEL...
OOOOH...
NEI...N!

NEI...
AH!

3

DAS SCHMECKT MIR VIEL-LEICHT...

... DEM OLLEN HAARMANN SEINE BUDE ZU SCHRUBBEN...
OOCH...

IMMER NOCH BESSER, ALS VON IRGEND 'NEM FREIER VERPRÜGELT ZU WERDEN.

TOCK

TOCK
TOCK
TOCK

WER IS 'N DA?
WIR SIND'S DOCH... ELLI UND DÖRCHEN!

ICH KOMM!

WIESO LIEGT DENN DER HERR FRIEDEL NOCH IM BETT?
... DER WOLLTE DOCH HEUT FRÜH WEITER NACH MÜNCHEN.
HAM VERSCHLA-FEN!

KOMMT MAN NACH-HER WIE-DER!

KLICK
KLICK
KLACK

KANNSTE WAS SEHN? LASS MICH MAL!
GLEICH!
ICH SEH FRIEDEL! ER LIEGT AUF 'M BETT UND HAARMANN GEHT HIN UND HER...

SCHSCHT! ER KOMMT ZUR TÜR!

HUCH!
WAS IST?

ER HAT WAS VORS SCHLÜSSEL-LOCH GE-HÄNGT!
SCHNELL, ANS FENSTER!

DA IS DOCH WAS NICH RICHTIG!

KOMM, WIR GEHN!

ABER NACHHER BEIM SAUBERMACHEN...
... DA DURCHSUCHEN WIR DIE BUDE GANZ GENAU.

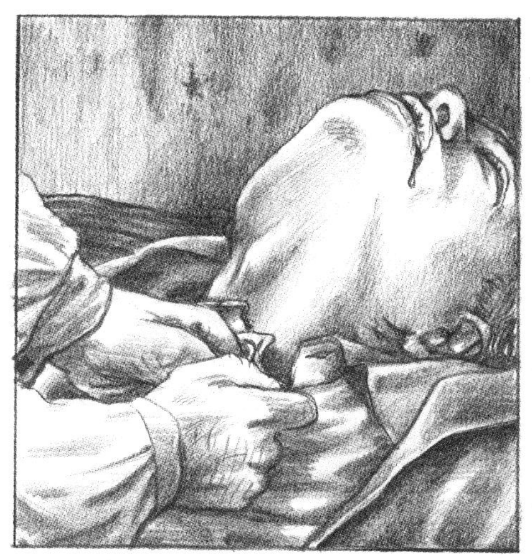
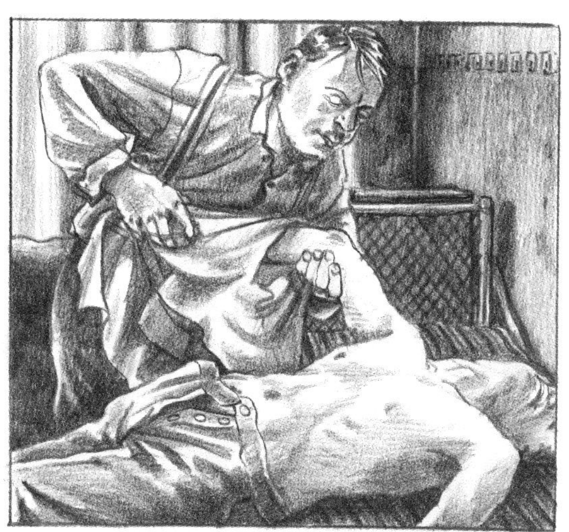
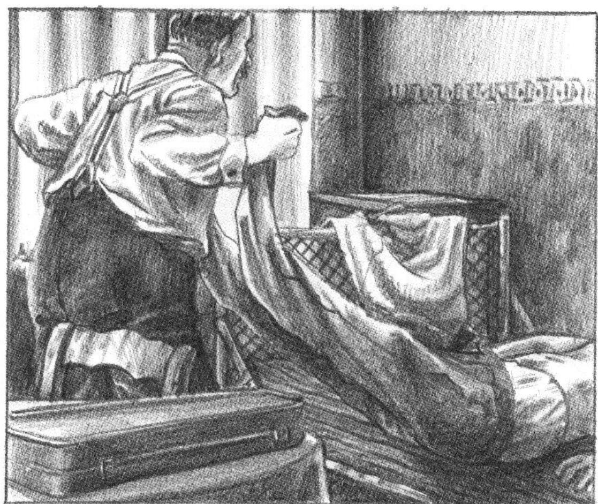

TACH, HERR HAAR-MANN!

FRAU ENGEL.

MENSCH, HAB ICH MICH VERJACHT!
WOLLT SIE NICH ER-SCHRECKEN.

HAB GE-
SEHEN, DASS
SIE ZU HAUSE
SIND...
SCHON
GUT, FRAU
ENGEL.
WOLLT IHNEN
BESCHEID SAGEN:
DIE WOHNUNG BEI
UNS IM HAUS IST
GESTERN FREI
GEWORDEN.
DIE KÖNNEN
SIE SICH DOCH
GLEICH MAL AN-
KUCKEN.

MACH ICH.
DA WERN WIR JA
NACHBARN, FRAU
ENGEL.
SAGEN SIE,
HERR HAARMANN,
HABEN SIE WOHL
WIEDER FLEISCH
FÜR UNS?
FÜR SIE
DOCH IMMER,
FRAU ENGEL.

SIE SIND
JA IMMER SO
MEINE LETZTE
HOFFNUNG!
OHNE SIE
WÜSST ICH GAR
NICH, WO ICH'S
HERNEHMEN
SOLLTE!
MEIN BESTES
FLEISCH IS MIR
FÜRE ENGELSCHE
GASTWIRTSCHAFT
MAN AUCH GRAD
GUT GENUCH!

ALSO, DAS MUSS ICH IHNEN JA SAGEN, HERR HAARMANN... DEN GÄSTEN SCHMECKT'S... ABER UNS...
ALSO, WIR MÖGEN'S NICHT MEHR.

WIESO 'N?
ES SCHMECKT SO... SÜSSLICH...

MEIM MANN WIRD IMMER GANZ KODDERIG DAVON.
UND WENN MAN'S ALLE TAGE ISST, WIRD EINEM SO...
... ICH WEISS NICHT, WIE...

NOCH BESSERES IS NICH ZU KRIEGEN.
ICH HEB SCHON IMMER DIE BESTEN STÜCKE FÜR SIE AUF!
DIE GÄSTE BEKLAGEN SICH JA AUCH NICHT...

HABEN SIE NICHT AUCH MAL WIEDER KLEIDUNG FÜR MICH?

'N SCHÖNEN HERRENMANTEL HAT GRANS SCHON MITGENOMMEN...
SIE MÜSSEN NICHT IMMER ALLES DEM GRANS GEBEN!

ICH KANN IHNEN DOCH AUCH VIEL MEHR DAFÜR BE-ZAHLEN...
... WO ICH DOCH DIE BESSERE KUND-SCHAFT DAFÜR HABE.

'NE JACKE HAB ICH NOCH.
UND 'NE HOSE, UND 'N PAAR SCHUH...

JACKEN BRAUCH ICH GRAD KEINE.
ABER HOSE UND SCHUHE NEHM ICH MIT.

... 'NE ÄCHTE GEIGE HAB ICH AUCH ZU VER-KAUFEN.

EINE GEIGE?!
JA, GEHT DIE DENN AUCH NOCH?

... WIRD JA MAN ALLES VONNER POLIZEI GEHEIM GEHALTEN...
... ABER DAS SOLLEN JA WOHL KNOCHEN VON ÜBER HUNDERT TOTEN SEIN...

... IN MANCHEN NÄCHTEN WAR DAS WASSER BLUTROT!
OTTO HOWE
C. Knigge
DESTILLATION
... UND BEI VOLLMOND WAREN DA GANZE GERIPPE AUF 'M GRUND!

... 'NEN GEHEIMEN GANG HAMSE ENTDECKT, INNEM HAUS AN DER LEINE...
DER FÜHRT DI-REKT ZUM FLUSS, UND AM ENDE IS 'NE FALLTÜR!
JETZT HÖRT MAL MIT EUREM GEQUATSCHE AUF!

NEE, PAUL, DAS IST ALLES ECHT!
SOLLST MAL SEHEN, DA KOMMT NOCH WAS NACH!

SOLLT MICH AUCH NICH WUNDERN, WENN SIE AM KLAGES-MARKT MENSCHEN-FLEISCH VER-KAUFEN...

QUATSCH!
MENSCH, PAUL, SETZ DICH MAL KURZ ZU UNS!
WIR MÜSSEN WAS MIT DIR BE-SPRECHEN!

HAB NICH ZEIT, DÖRCHEN! SIEHST DOCH, WAS HIER LOS IST.
NUR 'N MOMENT, PAUL, BITTE!

NA GUT. ALSO, WAS IS?
... WIR GLAUBEN...
... WIR GLAUBEN...

WIR GLAUBEN, DER HAARMANN HAT EINEN UMGEBRACHT!
HAARMANN?!

HAHAHA! DER DOCH NICH! HAHAHA!
DAS IS 'N KRIMINAL! DER IS MIT DER POLIZEI AUF DU UND DU!

... DER BRINGT KEINEN UM!

IHR WERDET AUCH IMMER ÜBERKANDIDELTER!
ABER DER HAT DOCH AUCH 'N HASCHMICH, DER HAARMANN!

IHR SPINNT!

VIELLEICHT SOLLTEN WIR ES DOCH GRANS SAGEN?
BISTE VERRÜCKT? DER MACHT MAUSCHELSACHEN UND SCHWEINIGELEIEN MIT HAARMANN!

KOMM!
WIR GEHEN ZU HAARMANN UND DURCHSUCHEN ALLES GANZ GENAU!

ABER ER DARF NICH MERKEN, DASS WIR IHN BELASCHERN.
ACH WO!
DER GEHT DOCH IMMER WECH, WENN WIR SAUBER MACHEN.

ZUM GLÜCK!

MIT DEM ALLEIN IS MAN DOCH NICH SICHER!

DA SEID IHR JA ENDLICH! HAB SCHON GEWARTET.
MUSS MIR 'NE NEUE WOHNUNG ANKUCKEN.

... HIER IS JA SCHON ALLES SAUBERGEMACHT...
DAS IST DOCH DIE JACKE VON HERRN FRIEDEL!

JA, STELLT EUCH VOR...
... DER WOLLTE 'NE ANDERE MONTUR HAM UND IS DANN NACH MAGDEBURCH WEITER.
... DER HAT HIER WAS AUSGEFRESSEN.

SO SAH DER ABER GAR NICHT AUS!
HAB SEINE SACHEN UMGETAUSCHT UND NOCH WAS ZULEGEN MÜSSEN. KANN FROH SEIN, DASS ICH IHN NICH MIT AUFFE WACHE GENOMM HAB.
MACHT EUCH JETZ ANNE ARBEIT!

LOS, ER IST WECH!

NACH WAS SUCHEN WIR DENN JETZT MAL?
MÖNSCH, KUCK MA!

DIE BUTZENKLAPPE!
DA HAT ER DOCH SONST IMMER SO 'N DICKES SCHLOSS VOR!

WAS IS 'N
DA DRIN?
IGITTE!

MACH MA
DAS TUCH
WECH!

HUH!

WIE EKEL-
HAFT DAS AUSSIEHT!
GANZ SCHWARZ...
NIMM
MA 'N STÜCK
RAUS.

IIIIEH,
NEE!
DA FASS
ICH NICH REIN!
MACH DU!

IIEH!
KUCK MA... DA SIND LAUTER SCHWARZE HAARE DRAN!

SO 'N FLEISCH HAB ICH JA NOCH NIE GESEHN!

DAS IST BE-STIMMT MENSCHEN-FLEISCH!
MEINSTE?

DAS STÜCK NEHMEN WIR MIT UND BRINGEN ES ZUR POLIZEI!

HIER IS 'N STÜCK ZEITUNG.

SO, SO... MENSCHEN-FLEISCH.
AUS HAARMANNS SCHRANK?
DAS DA?

WAS SOLL'S HIER GEBEN?
MENSCHEN-FLEISCH?

SCHAUEN SIE SICH DAS AN, DOKTOR SCHACKWITZ.

DAS HABEN WIR BEI FRITZ HAARMANN GE-FUNDEN!
DER HAT EINEN UMGE-BRACHT!

WAS SIND DENN DAS FÜR WEIBER?
SCHAUEN SIE SICH DAS FLEISCH AN, DOKTOR... DAMIT WIR DEN KOKOLORES HINTER UNS KRIEGEN.

DAS IST DOCH KEIN MENSCHEN-FLEISCH!

ABER SIE MÜSSEN DAS DOCH ERST MAL UNTER-SUCHEN...
UNTERSUCHEN? WAS SOLL ICH DENN DA UNTER-SUCHEN?!

... SIEHT DOCH 'N BLINDER, DASS DAS 'N STÜCK SCHWEINESCHWAR-TE IST!
ABER RIECHEN SIE DOCH MAL...
... WIE KOMISCH DAS RIECHT!

ICH RIECH NÜSCHT... ICH HAB 'N SCHNUPPEN.

UND DIE VIELEN SCHWAR-ZEN HAARE?
JETZT BE-LÄSTIGEN SIE MAL DEN HERRN DOKTOR NICHT WEITER, JA?

UND ENT-FERNEN SIE GE-FÄLLIGST DAS STÜCK FLEISCH VON MEINEM SCHREIBTISCH!

SIE HABEN
JA GEHÖRT,
DASS ES SICH UM
SCHWEINESCHWAR-
TE HANDELT.

ABER SIE
DÜRFEN DEM
HAARMANN NICH
SAGEN, DASS WIR
HIER WAREN...
SONST
GEHT'S UNS
SCHLECHT.

MACHEN
SIE, DASS SIE
RAUSKOM-
MEN!

DA SEHEN SIE,
MIT WAS FÜR KIN-
KERLITZCHEN MIR DIE
LEUTE KOMMEN...
SAGEN
SIE MAL...

HAAR-
MANN, HAAR-
MANN...

DEN HATTE ICH DOCH AUCH SCHON MAL... LÄUFT DER DENN FREI RUM?
ICH DENK, DER SITZT IN DER HILDESHEI-MER IRRENAN-STALT?
JETZT LASSEN SIE DOCH DIE SACHE AUF SICH BERUHEN, HERR DOKTOR!

GIBT'S DENN SCHON NEUIGKEITEN BEI DEN KNOCHEN-FUNDEN?
'N SCHNUP-PEN VON DEN NASSEN FÜS-SEN, SONST NÜSCHT.

ES HANDELT SICH ABER MIT ALLERGRÖSS-TER WAHRSCHEINLICHKEIT AUSSCHLIESSLICH UM DIE KNOCHEN JUNGER MÄNNER.
KEINE FRAUEN? DAS IST SICHER?

SIE KÖNNEN SCHON MAL ANFANGEN, DAS SCHWULENMILIEU VON HANNOVER ZU DURCHFORSTEN.

DA WERDEN SIE DEN MANN FINDEN...

GUTEN TAG, DOKTOR, HAB GEHÖRT, DASS SIE IM HAUSE SIND...
NA, RÄTZ?
WAS DARF'S DENN SEIN?
ICH BENÖTIGE DRINGEND DIE KRANKENAKTE VON FRITZ HAARMANN.
HAARMANN? HABEN SIE ETWA AUCH MENSCHENFLEISCH?
MENSCHENFLEISCH?
VERSCHONEN SIE MIR DEN RÄTZ MAL MIT DIESEN LAPPALIEN, DOKTOR.
HIER WAREN GRAD ZWEI OMINÖSE WEIBER MIT 'NEM STÜCK FLEISCH, DAS SIE ANGEBLICH BEI DIESEM HAARMANN GEFUNDEN HATTEN...
DIE MEINTEN, ES WÄRE MENSCHENFLEISCH.
WAR NATÜRLICH NUR SCHWEINESCHWARTE.

UND WO SIND DIE BEIDEN FRAUEN?
WIEDER WEG...

UND DAS PROTO-KOLL?
WIE HIESSEN DENN DIESE FRAUEN?

WAS WEISS ICH? HMPH...
WENN WIR HIER... HMPH...
... JEDE LAPPALIE ZU PROTOKOLL NEH-MEN WOLLTEN, HMPH...

DIE NAMEN HÄTTEN SIE DOCH WENIGSTENS NOTIE-REN SOLLEN.
PFFT!

ICH HAB MIR EINMAL SÄMT-LICHE AKTEN ÜBER FRITZ HAARMANN RAUSSUCHEN LASSEN...
WUSSTEN SIE, DASS ER BEREITS ALS ZWANZIGJÄHRIGER IN DER IRRENANSTALT HILDESHEIM WAR?

JA, JA, FRITZ HAARMANN IST MIR DURCHAUS KEIN UNBEKANNTER, LIEBER RÄTZ.

ÜBER DEN HABE ICH VOR EINIGEN JAHREN EIN GUTACHTEN ERSTELLT...
EIN GEMEINGEFÄHRLICHER GEISTESKRANKER...
... ANGEBORENER SCHWACHSINN.

ICH HAB HIER ACHT ANZEIGEN ALLEIN AUS DEN LETZTEN ZWEI JAHREN, DOKTOR!
UNZUCHT MIT KNABEN...
... BEI DREIEN WURDE ZUGLEICH DER VERDACHT GEÄUSSERT, ER KÖNNE MIT DEM VERSCHWINDEN JUNGER MÄNNER IN VERBINDUNG STEHEN.

TATSÄCHLICH!
JA, JA, DER HAARMANN FÜLLT GANZE AKTENBÄNDE.

BEI DEM IST ÄUSSERSTE VORSICHT GEBOTEN!

WAR MIR AUCH GANZ NEU, DASS DER FREI RUMLÄUFT.

ICH LASS IHNEN DIE KRANKENAKTE GLEICH MAL RAUSSUCHEN.

ENTSCHULDIGUNG, HERR KOMMISSAR...
ICH HAB HIER NOCH IN DER SACHE PROSALIE...

ZUM DONNERWETTER! JETZT BLEIBEN SIE MIR DOCH MIT DIESEM QUATSCH VOM LEIBE!
JAWOHL, HERR KOMMISSAR.

HM...
WÄRE ES NICHT EILIGST AN DER ZEIT, HAARMANN WENIGSTENS ÜBERWACHEN ZU LASSEN?

WIE SOLLEN WIR HAARMANN ÜBERWACHEN LASSEN, WO ER JEDEN POLIZISTEN IN HANNOVER KENNT?

DASS SIE IHN TROTZ ALLER VERDÄCHTIGUNGEN WEITER ALS SPITZEL BESCHÄFTIGEN...
... UND SOGAR MIT EINEM POLIZEIAUSWEIS AUSGESTATTET HABEN...

HÖREN SIE, RÄTZ... INOFFIZIELL NATÜRLICH.
ÜBERHAUPT HABE ICH IHNEN DIESE MITTEILUNG STRENG VERTRAULICH GEMACHT!

4

... ZEHNER-STUMPEN SIND IM AUGENBLICK NICHT LIEFERBAR, HERR HANSEN.
... DIE FIRMA IN HAMBURG IST WOHL PLEITE-GEGANGEN.
IST JA ÄR-GERLICH, HERR CLOBES.

KÖNNEN SIE NICHT NOCH RESTPOSTEN AUFTREIBEN?
LEIDER NICHT.

ICH HAB GES-TERN EINE LIEFE-RUNG ERSTKLASSI-GER HOLLÄNDER BEKOMMEN.

PROBIE-REN SIE DIE MAL.
WÜRDE SIE IHNEN FÜR ELF PFENNIG DAS STÜCK LASSEN.

OH...
WAS IST DENN BEIM HAARMANN LOS?

SAGEN SIE MAL...
... ZIEHT DER WOMÖGLICH AUS?
FRAU DANIELS HAT IHM DAS ZIMMER GEKÜNDIGT, WUSSTEN SIE DAS NICHT?

SOLLEN DOCH SCHWEINEREIEN VORGEFALLEN SEIN BEIM HAARMANN.
ENDLICH!
WAS HAB ICH NICHT ALLES ANGEZEIGT.
ABER GEGEN DEN KOMMT MAN JA SELBST BEI DER POLIZEI NICHT AN.
ICH WEISS MAN BLOSS, DASS ER FÜR DIE POLIZEI ARBEITEN SOLL!
HAB MAL GESEHEN, WIE ER AM BAHNHOF EINEN JUNGEN MANN VERHAFTET HAT...

MENSCH, FRITZ...
PFF!
... IST DER SCHWER.

PASS BLOSS AUF, HANS! DA HAB ICH VIEL GELD FÜR GEGEBEN.
PFF... PFFFT!

MUSST DU DENN SO EINEN SCHEISS MIT DIR RUM-SCHLEPPEN?!
DAS IS DOCH KEIN SCHEISS...

... DA MACH ICH GUTE WÜRS-TE MIT.
PFF!

SO! JETZT HABEN WIR ALLES.
ICH WILL LIEBER NOCH MAL KUCKEN.

PSST, DIE OLLE DANIELS KOMMT...
BLOSS SCHNELL WECH HIER!

GOTTLOB, DASS SIE DEN ENDLICH AUS 'M HAUS GEKRIEGT HABEN, FRAU DANIELS.
DAS IST MIR AUCH EINE LEHRE GEWESEN. AN ALLEINSTEHEN-DE MÄNNER VER-MIETE ICH NIE WIEDER.

JA, WIE SIEHT ES DENN HIER AUS?!

NEIN, WIE HAT DER MIR MEIN ZIMMER VERUN-RUINIERT!

GANZ KLEINEN AUGENBLICK, HERR KUP-RIN...

... BIN GLEICH WIEDER DA!
HM?

HERR HAARMANN!
WILL-KOMMEN IN DER ROTEN REIHE!

TACH, HERR WEGE-HENKEL.
HAB SCHON VON FRAU ENGEL GEHÖRT, DASS SIE BEI IHR EIN-ZIEHEN.

DAS IST JA SCHÖN, DASS WIR JETZT IN DER-SELBEN STRASSE WOHNEN!

UND, HERR HAARMANN...
... JETZT, WO WIR QUASI NACHBARN SIND, DENKEN SIE DOCH BEIM FLEISCH ZUERST AN UNS?
NA KLAR, HERR WEGEHENKEL!
ZWEI PFUND SCHIERES SUPPENFLEISCH HAB ICH NOCH HIER.
DIE LASS ICH IHN FÜR SECHZICH PFENNICH.
WIR VERRECHNEN DAS SPÄTER.

... IST DAS FLEISCH AUCH FRISCH?
ICH VERKAUF IHN DOCH KEIN DRECK, HERR WEGEHENKEL!
AUF FRITZ HAARMANN KÖNNSE SICH VERLASSEN!
UND WENN ICH NÄCHSTENS FRISCHE WÜRSTE MACH, KRIEGEN SE AUCH WAS VON AB.

HALLO, HERR HAAR-MANN...
... ICH KOMM RUNTER!

SACH MA, FRITZ...

DAS IST JA WOHL NICHT ALLES BIS UNTERS DACH ZU SCHLEPPEN?

SIE HABEN JA EINEN FLEISCHWOLF, HERR HAARMANN?!
DREHEN SIE DENN AUCH WÜRSTE?
EINMAL INNE WOCHE, FRAU ENGEL.

WIE VIELE TREPPEN MUSS DAS DENN NACH OBEN?
BIS UNTERS DACH, HERR GRANS.

NEE, WA?!
DEN DICKEN FLEISCHWOLF SOLL MAL EIN ANDERER HOCHHIEVEN!

... IS DOCH FIX GEMACHT, HANS.
NEE, FRITZ, ICH HAB'S IM KREUZ!

GEHEN SIE DOCH MAL EBEN IN DIE WIRTSSTUBE...
DA SITZT MEIN MANN MIT DEM KUTSCHER TOLKEN...

... DIE SOLLEN MAL EBEN MIT ANFASSEN!

WAS HABEN SIE DENN DA FÜR SCHÖNE MÄNTEL, HERR HAAR-MANN?
IS ALLES AUS MEIN LAGER.

SO?

ICH FASS MAL EBEN MIT AN, HERR HAAR-MANN...

... DAMIT DIE SACHEN VON DER STRASSE KOMMEN.
SIEHT JA SO NACH RE-GEN AUS...

SIE SOLLEN DOCH DEM GRANS NICHT IMMER AL-LES GEBEN!
DER IS MIR AUCH EIN KUCKUCKSEI AN MEINE BRUST!

SEHEN SIE! DER NIMMT SIE NUR AUS!
UND WENN SIE WÜRSTE MACHEN, HÄTTE ICH SOFORT ABNEHMER DAFÜR.
DER GRANS BRAUCHT DAS GAR NICHT ZU WISSEN!
DIE MÄNTEL HIER KAUF ICH IHNEN AUCH GLEICH AB!
DAFÜR HAB ICH VORGEMERKTE KUNDSCHAFT!
KINDERKLEIDUNG GEHT IMMER. DIE KÖNNEN SIE GLEICH UNTEN BEI MIR ABLIEFERN.
ICH ZAHLE GUT... DAS WISSEN SIE!
DA WERDEN WIR HEUTE ABEND SCHÖN IHREN EINZUG FEIERN.
NEE, FRAU ENGEL, HEUT NICH!
ICH BIN BEIE MITTERNACHTSMISSION, WARTESÄLE KONTROLLIEREN.
ABER MORGEN KÖNN WIR FEIERN!

MORGEN HAB ICH AUCH WIEDER FLEISCH...

HAU RUCK!

HAU RUCK!

HAU RUCK!

HAU RUCK!

5

VIER WÜRSTE KANN ICH BESORGEN, FRAU UMBACH.
SEHR GERNE, HERR WEGEHENKEL...
SIE DENKEN DOCH DARAN, DASS ICH AUCH VIER STÜCK BESTELLT HATTE?
HAB ICH SCHON FÜR SIE BEISEITEGELEGT, HERR BIETENDÜBEL!
HERR HAARMANN HAT MIR AUF MORGEN HACKFLEISCH IN AUSSICHT GESTELLT...
GEGEN MITTAG.
VIELLEICHT KANN ICH IHNEN EIN GANZES PFUND ABGEBEN.
MAL SEHN.
DAVON NEHM ICH, WAS SIE ENTBEHREN KÖNNEN, HERR WEGEHENKEL...
ICH BIN DANN MITTAGS GLEICH BEI IHNEN!
... UND GRÜSSEN SIE DEN HAARMANN VOR MIR.

EIN KLEIN WENIG KANN AN DEN SEITEN NOCH WEG, HERR BIETENDÜBEL...

HAB WOHL GEHÖRT, DASS SIE MORGEN HACKFLEISCH HABEN...
ICH KANN NICHT ALLE BELIEFERN...

MAL SEHN, VIELLEICHT BRINGT ER JA AUCH WIEDER WÜRSTE...
MEINE FRAU IST VON DENEN JA NICHT SO BEGEISTERT.

WAS HAT IHRE FRAU DENN AN DEN WÜRSTEN AUSZUSETZEN?

DIE HABEN SO 'N KOMISCHEN GLIBBER...
UND DAS FETT HAT SIE ANGESPRITZT, ALS SIE MIT DER GABEL REINGESTOCHEN HAT!
DAS KOMMT ABER BEI BRÄGENWÜRSTEN HIN UND WIEDER VOR, HERR BIETENDÜBEL...

... EINEN HAFTBEFEHL?!
GEGEN FRITZ HAARMANN?
AUF DEN ALLERGERINGSTEN VERDACHT HIN, OHNE ZWINGENDEN BEWEIS?

SAGEN SIE MAL, KOMMISSAR MÜLLER...
WIE DENKEN SIE SICH DAS DENN?
MIR SIND NICHT ERST SEIT HEUTE DIESE ZWEIFEL GEKOMMEN, HERR OBERSTAATSANWALT.

SEIT GERAUMER ZEIT SCHON HABE ICH EINEN VERDACHT...
NEIN, NEIN, NEIN!

JAHRELANG HABEN SIE DEM MANN DIE HAND UNTER GEHALTEN UND SICH VON MIR FREIFAHRTSCHEINE GEHOLT FÜR SEINE DUBIOSEN POLIZEIAKTIONEN...
UND JETZT SOLL ICH EINEN HAFTBEFEHL BEFÜRWORTEN?

ICH BIN DOCH NICHT VERRÜCKT!
LASSEN SIE IHN MEINETWEGEN BEOBACHTEN. GEBEN SIE ORDER, IHN ZU VERHAFTEN, SOBALD ER AUFFÄLLIG WIRD...
WEITER KANN ICH NICHTS FÜR SIE TUN.

KRIMINAL HAARMANN...
ZEIGEN SE MA IHREN AUSWEIS!

KURT FROMM, SO, SO! UND BIS AUS BERLIN, JA?
JANZ JENAU, AUS TREPTOW, HERR KRIMINAL.
UND WARUM SITZT HIER SO ALLEIN RUM, KURT? HAS WAS AUSGEFRESSEN?
JOTT BEWAHRE, HERR KRIMINAL...
ICK HAPP MEEN ZUCH NACH OSNABRÜCK VAPASST. DER NECHSTE JEHT MAN ERS JEJEN VIERE.
WAS WISN IN OSNABRÜCK, KURT?
MEENE SCHWESTER HAT SICH NACH DA VAHEIRATET, HERR KRIMINAL...
NU HAT SE 'N KIND JEKRIECHT...
... UND NU WILL ICK MA HIN UND MIR DET ANKIEKEN, WA.

ALLES IN ORDNUNG.

HIER HAS ERS MA DEIN AUSWEIS WIEDER, KURT.

SACH MAN EHM, KURT, HAS SCHON WAS ZU MITTACH GE-GESSEN?
NEE...
ICK HAPP MAN NUR NOCH 'N PAAR JROSCHN, HERR KRIMINAL!

DIT REICHT MAN JRAD NOCH FÜR 'NE ZUCH-FAHKATE.
WEISS, WAS, KURT? BIS VON MIR ZUM MITTACH-ESSEN EIN-GELADEN.

ALSO, HERR KRIMI-NAL...
... DAMITTE NICH DEN GAN-ZEN TACH HIER RUMSITZEN MUSST.

DA SACH ICK NICH NEE!

BIN OOCH SCHON FAST AM VAHUNGERN!
ALS KRIMINAL HAB ICH NEMICH FÜR ALLE JUNGEN MÄNNER VERANT-WORTUNG, DIE ICH HIER AUF 'M BAHN-HOF ANTREFF.

... UM DIE MUSS ICH MICH KÜMMERN!

ABER SACH MA, KURT... HAS KEINE JACKE?
MEENE JOPPE HAMSE MIR VORJE NACHT IN TREPTOW UFF'M BAHNHOF JEKLAUT.

DA WERD ICH NACHHER MA 'NE ANZEIGE AUFNEHM, KURT. MUSS WIESO NOCH ZUR KOMFE-RENZ AUFS POLI-ZEIPRÄSIDIUM.

MAN JUT, DET ICK MEENE PAPIERE INNE HOSENTASCHE HATTE...
SONST WERN DIE WO-MÖCHLICH OOCH NOCH MIT WECH-JEKOMM!

WEISS, WAS, KURT?
ICH HAB ZU HAUSE NOCH 'NE SCHÖNE JACKE. DIE KRIS MIT, DIE SCHENK ICH DIR.
'NE JOPPE FÜR UMSONS?! DIT KANN ICK JANICH JLOBEN, HERR KRIMINAL!

MUSS MICH DOCH UM DICH KÜMMERN, KURT.
JETZ GEHEN WIR ERS MA ZU MIR NACH HAUSE. KANNS AUCH FRITZ ZU MIR SAGEN.

MÖNSCH, FRITZE...
ICK KANN JA MEEN JLÜCK JANICH FASSEN, DET ICK DIR JETROFFEN HAB!

KANNS ÜBERHAUPT JETZ WECH? HASTE NICH DIENST?
NEE, NEE, ICH HAB JETZT FREI.
MUSS ERST NACHER KOMFERENZ WIEDER AUFFE BAHNHOFS-WACHE SEIN.

WOHNS-
TE WEIT VOM
BAHNHOF,
FRITZE?
NEE, SIND
GLEICH DA.

vorsichtig

SIEHS MA, KURT. DA VORN WOHN ICH.
DA WOHNS-TE?!

NA, SACH MA, FRITZE, VORNEHME JE-JEND IS DET HIER ABA NICH JRADE!
HAS RECHT, KURT.

ABER WEISS... ICH KANN ALS KRI-MINAL NICH INNER VORNEHM GEGEND WOHN...
DA KRICH ICH JA NICH MIT, WAS PASSIERT.

DANN KOMM MA REIN, KURT.

WERD UNS ERS MA KAFFEE KOCHEN!

SACH MA EHM, KURT...
... HAS SCHON MA WAS MITTE WEIBERS GEHABT, ODER BIS MEER FÜR JUNGS?
IIIEH! ÜBA SO WAT RED ICK NICH, FRITZE. DET JEHÖRT SICH NICH!

ABA SACH MA, HASTE OOCH JUTN BOHNKAFFEE ODER ISSET SO 'NE ZICHORIEN-TUNKE?

KLICK

Speise=Wirthschaft
A. ENGEL

HERR HAARMANN!

HERR HAARMANN!
SIND SIE DA?

TOCK
TOCK

FRAU AHLSDORF, ICH BRING IHRE WÄSCHE!
JA? WER IS'N DA?

HAB GRAD BESUCH!
KOMMSE MAN MORGEN WIEDER!

LASSE DOCH RIN MITTE WÄSCHE, FRITZE. ASO MIR STÖRT DET NICH IM JERINGSTEN!

NA DENN, KOMMSE MA REIN, FRAU AHLSDORF!

LEGEN SE DIE WÄSCHE MA AUF'N TISCH...
MÖNSCH, FRITZE!
DIE JOPPE IS JA NOCH WIE NEU!

DIESMAL MUSS ICH FÜR DAS WASCHEN ABER MEHR FLEISCH HA-BEN, HERR HAAR-MANN!
WARN JA WIEDER SO VIEL FREMDE SCHLÜP-FER BEI!

FLEISCH HAB ICH HEUT NICH. ABER MORGEN KRICH ICH WIEDER WAS!
DA LECH ICH IHN DREI PFUND WECH.

AUF FRITZ HAARMANN KÖNNSE SICH DOCH IMMER VERLASSEN, FRAU AHLSDORF!
KANN ICH MICH DA AUCH AUF VERLASSEN, HERR HAARMANN?

PASST WIE ANJE-JOSSEN!
ABA SACH MA, FRITZE, HASTE NÜSCHT ZU ESSEN IM HAUS?
WOLLN DOCH ERST KAFFEE TRIN-KEN, KURT.
ASO...
ICK BIN AM VAHUN-GERN, WA?
DA GEHN SIE DOCH ZU KRÖPCKE!
DA IS HEUT ERBSEN-SUPPENTACH!
MÖNSCH, FRITZE! JETZ SO 'NE RICHTICH JUTE ERBSEN-SUPPE...
DET WÄR WAT FÜR MICH!
GUT, KURT, DANN GEHN WIR ERS MA ZU KRÖPCKE.

HALLO.
ENTSCHUL-DIGEN SIE BITTE...
MEIN NAME IST ROTHE. ICH KOMME AUS BREMEN.
ENTSCHUL-DIGEN SIE DIE STÖRUNG, WIR SUCHEN DIE BAHN-HÖFLICHE POLI-ZEIWACHE.

AUS DEM HAUPTEINGANG RAUS, LINKS UND DANN GLEICH WIE-DER RECHTS. IST AUCH ANGE-SCHRIEBEN.
RECHT HERZ-LICHEN DANK FÜR DIE AUSKUNFT.

RHEINISCHER

... ISS MAN RUHICH NOCH 'N TELLER, KURT.
KRÖPCK
STEHT DIR GUT BEIE RIPPEN.

ASO NEE, FRITZE. ICK KANN NICH MEHR.
ZWEE TELLA SIND MAN OOCH JENUCH.

ABA DET HAT RICHTICH JUT JETAN!
SO WAS KANNS BEI MIR ALLE TAGE HAM, KURT!

JEDN TACH BIN ICK LEIDER NICH HIER.
ABA SACH MA, FRITZE, HANDELSTE OOCH MIT FLEESCH, JA?

ABA DOCH WO NICH MIT DACHHASEN, WA?
NEE, NEE, KURT! DAS IS RICHTICH GUTES FLEISCH.

DA KOMM ICH NUR DURCH MEINE VERBINDUNGEN ALS KRIMINAL RAN!
HA ICK MIR SCHON JEDACHT.
ABA SACH MA, WAS IS 'N DAS FÜR 'NE KOMFERENZ, WO DU JLEICH HIN-MUSST?
DARÜBER DARF ICH NICH REDEN, KURT.

SO?
WAT JANZ JEHEIMET, WA?

DANN GEHN WIR JETZ ZU MIR UND TRINKEN KAFFEE, JA?

TASS KAFFEE WÄR JETZ OOCH WAT JUTES!

WAT? IS DET SCHON DREIE DURCH?

MÖNSCH, FRITZE! ICK VASÄUM JA MEEN ZUCH!
WEISS, WAS, KURT?

LASS DEIN ZUCH MA SAUSEN, BLEIBS HEUTE NACHT BEI MIR.
BISTE VARRÜCKT, FRITZ?!

WIR TRINKEN ERS MA SCHÖN KAFFEE BEI MIR UND FEIERN 'N BÜSCHN!

NEE, FRITZE, ICK MUSS NACH OSNABRÜCK!
MEENE SCHWESTER VAMISST MIR, WA!

BESTEN DANK, DET DE MIR EINJELADN HAS, ABER ICK HAPP NU MA NICH MEHR ZEIT!
KÖNN WIR DOCH MORGEN WIEDER SCHÖN ERBSENSUPPE ESSEN, KURT.
NEE, FRITZE, DU MUSST DOCH OOCH ZU DEINE KOMFERENZ.

JEH DU MAN ZU DEINE KOMFERENZ UND ICK FAH NACH OSNABRÜCK.
ATJÖH, FRITZE!
ALSO, WENN JETZ FRECH WIRS...

ICK WER DOCH NICH FRECH, FRITZE!
GIB MIR MA GLEICH DIE JACKE WIEDER!
DIE KRIS NICH MIT!

WIESO DENN? NEE, FRITZE, DIE JOPPE HASTE MIR JESCHENKT!
DA HAPP ICK SOJAR DEENE WASCHFRAU AS ZEUJE FÜR.

BIS VERHAFTET, KURT!
WA...
WAT BIN ICK?!
WAT?!
ICH HAB DICH NEMICH DIE GANZE ZEIT IM VERDACHT, DASSE 'N SCHIEBER BIS UND AUF FALSCHE PAPIERE REIST!
WAT SOLL ICK SIN?! 'N SCHIEBA?! OOJENBLICK MA!
JETZ KOMMS MIT AUFFE BAHNHOFSWACHE!
DET SIN JA JANZ FEINE POLIZEIMETHODEN!
WOLLN DOCH MA SEHN, OB DAS ALLES STIMMT, MITTER SCHWESTER UND SO...

DET HA ICK ALLET VORAUSJEWUSST, DET HIER WAT NICH STÜMMT!
DIE JANZE SPENDIERLAUNE WA NÜSCHT WEITER ALS 'NE FIESE MASCHE!
ABA ICK HAPP NÜSCHT VABROCHN! ICK BIN JANZ UNSCHULDICH, HERR KRIMINAL!

ICH MUSS NOCH EINMAL VORSTELLIG WERDEN, HERR WACHTMEISTER.
EINE VOLLE STUNDE WARTEN WIR HIER SCHON, UND NICHTS GESCHIEHT!
NUN MAL GEDULD... WIR HABEN HIER GANZ ANDERE DINGE ZU TUN.
ICH MUSS JETZT DRINGLICHST DARUM BITTEN, DASS SICH UNSERER SACHE ANGENOMMEN WIRD!
DAS IST KEIN TON!
ICH BIN DOCH BEREITS DAMIT BEFASST!
IN DEN PAPIEREN LÄSST SICH NICHTS FINDEN.

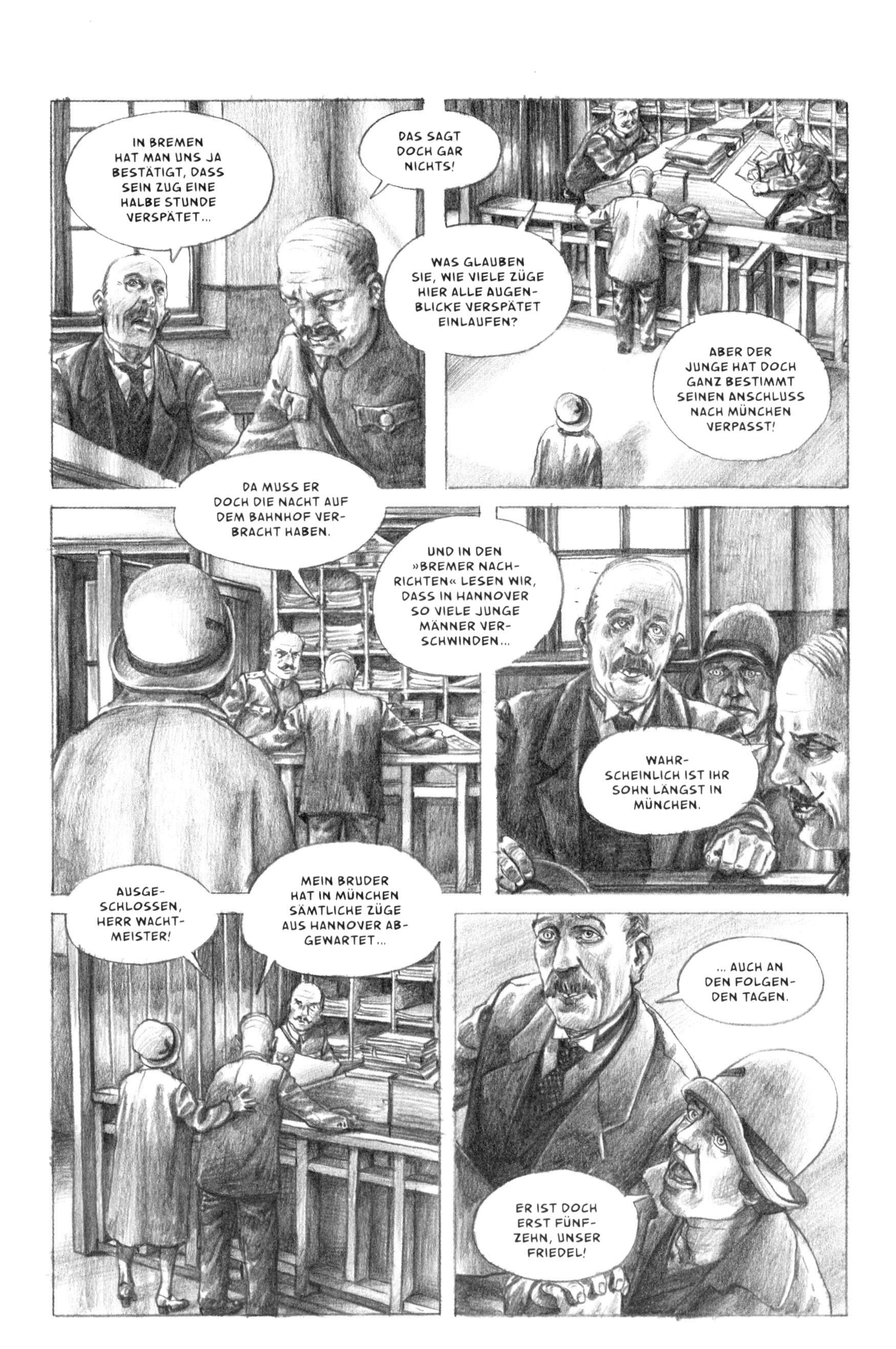
IN BREMEN HAT MAN UNS JA BESTÄTIGT, DASS SEIN ZUG EINE HALBE STUNDE VERSPÄTET ...
DAS SAGT DOCH GAR NICHTS!
WAS GLAUBEN SIE, WIE VIELE ZÜGE HIER ALLE AUGENBLICKE VERSPÄTET EINLAUFEN?
ABER DER JUNGE HAT DOCH GANZ BESTIMMT SEINEN ANSCHLUSS NACH MÜNCHEN VERPASST!
DA MUSS ER DOCH DIE NACHT AUF DEM BAHNHOF VERBRACHT HABEN.
UND IN DEN »BREMER NACHRICHTEN« LESEN WIR, DASS IN HANNOVER SO VIELE JUNGE MÄNNER VERSCHWINDEN ...
WAHRSCHEINLICH IST IHR SOHN LÄNGST IN MÜNCHEN.
AUSGESCHLOSSEN, HERR WACHTMEISTER!
MEIN BRUDER HAT IN MÜNCHEN SÄMTLICHE ZÜGE AUS HANNOVER ABGEWARTET ...
... AUCH AN DEN FOLGENDEN TAGEN.
ER IST DOCH ERST FÜNFZEHN, UNSER FRIEDEL!

ER WAR DOCH SO AUFGEREGT WEGEN DER REISE, DA HAT ER SEINE BRIEFTASCHE MIT GELD UND PAPIEREN AUF DER ANRICHTE LIEGEN LASSEN.
SEHEN SIE! DA IST ER IN EINEN FALSCHEN ZUG EINGESTIEGEN, IST WEISS GOTT WO GELANDET UND KANN SICH NATÜRLICH NICHT MELDEN.
DIE SACHE WIRD SICH ALS GANZ HARMLOS AUFKLÄREN!
HIER! DER REIST AUF FAL-SCHE PAPIERE!
NEE, NEE!

DET IS NICH WAHR!
ABER...

... DER JUNGE MANN TRÄGT JA DIE JACKE VON UN-SEREM FRIEDEL!

HIER IST DAS STOPF-LOCH!
UND IN-NEN MUSS EIN NAMENSSCHILD EINGENÄHT SEIN! EFF ROTHE...
ZIEHEN SIE MAL AUGENBLICK-LICH DIE JACKE AUS!
DIE HAPP ICK VON DEM DA!

DA HAPP ICK NÜSCHT MIT ZU KRIEJEN!

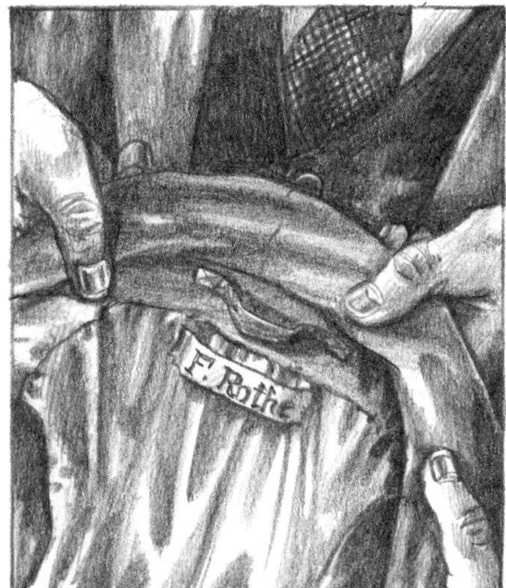
F. Rothe

SEHEN SIE, HIER!
WIE KOMMEN SIE ZU DER JACKE UNSERES SOHNES?

DIE HAB ICH VOR 'N PAAR TAGEN NÜM JUNGEN MANN ABGEKAUFT...

JA, DER HIESS FRIEDEL ROTHE.
HAB IHN DIE NACHT BEI MIR AUFGENOMM.

ICH GEHÖR NEMICH ZUR MITTERNACHTSMISSION...
MUSS MICH UM ALLE JUNGEN MÄNNER KÜMMERN, DIE NACHTS AUF 'M BAHNHOF SIND.

DER IS AM NECHSTEN TAG WEITER NACH MAGDEBURCH.
NACH MAGDEBURG?

ICH BITTE SIE, WAS SOLL DER JUNGE DENN IN MAGDEBURG?!

ES LIEGT DOCH VON KOMMISSAR MÜLLER DIESE ANWEISUNG VOR...

KOMMEN SIE BEIDE MAL NACH HINTEN.

UND ICKE VAPASS JETZ MEEN ZUCH, WA?!
WER ICK BLOSS NICH MITJEGANG!

MUSS NOCH MA EHM WAS FÜRE POLIZEIPANSIONSKASSE EINZAHLN.
WARTEN SE MAL...

HAB AUCH NECHSTE WOCHE WIEDER FLEISCH.

... UND KRICH AUCH KINDERKLEIDUNG REIN.
GUT, HAARMANN, ABER ERST MAL MUSS DIE SACHE HIER VOM TISCH.

WIR MACHEN DAS DANN SPÄTER.

ICH MUSS MA EHM ERS NOCH DRINGEND MIT KOMMISSAR MÜLLER TELEFONIEREN!
SPÄTER, HAARMANN.

WARTEN SIE HIER, HAARMANN!
ICH SETZE MICH MIT KOMMISSAR MÜLLER IN VERBINDUNG.

JAWOHL.

HERR KOMMISSAR MÜLLER?
BAHNHOFSWACHE, WACHTMEISTER HILLEBRAND AM APPARAT!

HABEN SOEBEN FRITZ HAARMANN HIER AUF DER BAHNHOFSWACHE FESTSETZEN KÖNNEN, HERR KOMMISSAR!
... JAWOHL!

VERLANGT, SIE ZU SPRECHEN, HERR KOMMISSAR!
JAWOHL...
... JAWOHL, HERR KOMMISSAR, WERDEN NICHTS UNTERNEHMEN, BIS SIE HIER EINTREFFEN.

WAS IST DENN NUN MIT UNSEREM FRIEDEL?

SIE HABEN DOCH GEHÖRT, IHR SOHN IST NACH MAGDEBURG WEITER...
DA MÜSSEN SIE IN MAGDEBURG NACHFORSCHEN!
HIER KÖNNEN WIR NICHTS MEHR FÜR SIE TUN.

SIE MÜSSEN ABER DOCH WENIGSTENS EINE VERMISSTENANZEIGE AUFNEHMEN!

NUN BEGREIFEN SIE DOCH ENDLICH: DIE SACHE IST HIER AUFGEKLÄRT.
IHR SOHN IST HIER NICHT VERMISST.

WENDEN SIE SICH AN DIE BEHÖRDEN IN MAGDEBURG.

ICH MUSS SIE NUN BITTEN, DIE WACHE ZU VERLASSEN!

... HAT KLEIDUNG EINES VERMISSTEN WEITERGEGEBEN, HERR KOMMISSAR.
IST BEZEUGT!

WIE HEISST DER VERMISSTE?
FRIEDEL ROTHE, HERR KOMMISSAR.

WER HAT ES BEZEUGT?
DIE ELTERN DES VERMISSTEN, HERR KOMMISSAR.

HAARMANN HAT ZUGEGEBEN, DEN VERMISSTEN EINE NACHT BEI SICH AUFGENOMMEN ZU HABEN, HERR KOMMISSAR.

WO SIND DIE ELTERN?
HABEN SO-EBEN DIE WACHE VERLASSEN, HERR KOMMISSAR.

SOFORT BEISCHAFFEN, DIE LEUTE!
J...JA-WOHL, HERR KOMMISSAR.

AH, GUT, DASS SE KOMM!
WOLLT SCHON NACH IHN TELEFONIERN.
HAB HIER AM BAHNHOF 'N SCHIEBER VERHAFTEN KÖNN!
WO IST DER POLIZEIAUSWEIS?
HAB ICH IMMER BEI MIR, HERR KOMMISSAR. AUF FRITZ HAARMANN IS VERLASS!
GEBEN SIE HER!
DAMIT IST JETZT SCHLUSS!
WIESO'N?

WAS HABEN SIE MIT FRIEDEL ROTHE GEMACHT?
NIX!
DER HAT DIE NACHT BEI MIR GESCHLAFEN...
DANN HAB ICH IHM SEINE JACKE ABGEKAUFT UND ER IS NACH MAGDEBURCH WEITER.

WAS IN IHREM KOPF VORGEHT, HAAR-MANN...

... DAS MÖCHTE ICH WISSEN.

SETZEN SIE UNVERZÜGLICH KOMMISSAR RÄTZ DAVON IN KENNTNIS, DASS HAARMANN HIER FESTGEHALTEN WIRD!
SIE STEHEN MIR IN DER VERANTWORTUNG...
... DASS BIS ZUM EINTREFFEN DES KOMMISSARS NICHTS WEITER UNTERNOMMEN WIRD!
JAWOHL, HERR KOMMISSAR!
ICH ERWARTE ABSOLUTES STILLSCHWEIGEN!

... UND DASS MIR DIE ZEUGEN ROTHE BEIKOMMEN!

JAWOHL, HERR KOMMISSAR!

6

FRAU ENGEL!

SO GEHT DAS ABER MIT DIESEM HAAR-MANN NICHT WEITER, FRAU ENGEL!

STÄNDIG GEHEN BEI DEM JUNGE MÄNNER EIN UND AUS!

... UND IMMER DIESES HÄMMERN UND SÄGEN DIE GANZE NACHT ...

WOHNT HIER EIN FRITZ HAARMANN?
JA, OBEN UNTERM DACH. WAS IST DENN PASSIERT?
ICH KANN IHNEN DIE WOHNUNG VON DEM HAARMANN ZEIGEN.

SPERREN SIE DEN KERL MAL EIN, BEI DEM STIMMT WAS NICHT!

LASSEN SIE SICH DIE WOHNUNG ZEIGEN UND OBEN ALLES SICHERN!
JAWOHL, HERR KOMMISSAR!

SIE WOHNEN IN DEM HAUS?
WIR BETREIBEN DIE GASTWIRTSCHAFT HIER.

ICH WÄRE DANN SO WEIT, HERR KOMMISSAR.

PST!

FRAU ENGEL!

HERR GRANS!
WAS VERSTECKEN SIE SICH DENN DA IN DUNKLEN ECKEN UND FLÜSTERN?

KOMMEN SIE MAL NÄHER, ABER UNAUFFÄLLIG.

WAS IST DENN PASSIERT, HERR GRANS?
FRITZ IST GESTERN VERHAFTET WORDEN!

ES GEHEN MIT EINEM MAL GANZ SCHAURIGE GESCHICHTEN ÜBER FRITZ, FRAU ENGEL.

WAS DENN FÜR GESCHICHTEN, HERR GRANS?
GEHEN SIE MAL DEN WEGEHENKEL FRAGEN.

WIESO WEGEHENKEL?
SIE WAREN DOCH STÄNDIG MIT IHM ZU-SAMMEN.
SIE MÜSSEN DAS DOCH WISSEN!
ICH WEISS VON NICHTS!
BIN DOCH NUR SELTEN DA GEWESEN, ICH KENN FRITZ NUR FLÜCH-TIG.

DIE RÄUMEN JA DIE GANZE WOHNUNG LEER...

ESSEN SIE MAL LIEBER NICHTS VON DEM FLEISCH, DAS FRITZ VER-KAUFT HAT.

WIESO SOLL ICH DENN NICHTS VON DEM FLEISCH ESSEN?

SST!
HERR GRANS?

FRAU ENGEL.

JA, SAGEN SIE MAL... WAS IST DENN MIT DEM HAARMANN LOS?
STELLEN SIE SICH VOR, HERR WEGEHENKEL...
... DIE POLIZEI RÄUMT GERADE SEINE WOHNUNG LEER!

DEN GANZEN MORGEN HÖR ICH HIER NUR, DASS HAARMANN VERHAFTET WORDEN IST...
... UND ER SOLL ÜBER HUNDERT JUNGE MÄNNER ERMORDET HABEN!
WAS?! NEIN, HAARMANN IST GEHEIMPOLIZIST! HAB DOCH SEINEN AUSWEIS GESEHN!
HAARMANN IST DER GESUCHTE MENSCHENSCHLÄCHTER!

MACHEN SIE MIR DOCH KEINE ANGST, HERR WEGEHENKEL!

... UND DIE KLEIDUNG, DIE ER VERKAUFT HAT, GEHÖRTE DEN ERMORDETEN!
DAS IST DOCH GELOGEN!

UND WISSEN SIE, WAS DIE LEUTE NOCH ERZÄHLEN?
SEIN FLEISCH... SIE WISSEN SCHON...
... DAS SOLL MENSCHENFLEISCH GEWESEN SEIN!

WAS?!
WAS SOLL DAS GEWESEN SEIN?

MOIEN ZUSAMMEN.
MOIEN, HERR SCHUR-SIEDEL.
SETZEN SIE SICH SCHON MAL, BIN GLEICH BEI IHNEN.
KOMMEN SIE MAL MIT NACH HINTEN, ZU MEI-NER FRAU...
ICH HAB JETZT KEINE ZEIT, HERR WEGEHENKEL.
ICH MUSS NACH HAUSE!

... SOLANGE SIND SIE MIR DAFÜR VERANTWORTLICH, DASS NIEMAND IN DIE WOHNUNG KOMMT!
Speise=W
A. Engel
Polizei

JAWOHL, HERR KOMMISSAR!
rthschaft.
Engel

... DIE GANZE MATRATZE SCHEINT BLUTDURCHTRÄNKT ZU SEIN...
DIE MUSS EXTRA ABTRANSPORTIERT WERDEN.

... ICH KANN DA VIELLEICHT EINE AUSSAGE MACHEN.
AUF SEINER MATRATZE?
ER HAT JA DA OBEN IMMER GESCHLACHTET.

WOHER WISSEN SIE DENN, DASS ER OBEN GESCHLACHTET HAT?
ER HAT'S ERZÄHLT.

WAS HAT ER DENN GESCHLACHTET?
DAS WEISS ICH NICHT.
ER HAT JA IMMER AM BAHNHOF FRISCHES FLEISCH BEKOMMEN...
HABEN SIE FLEISCH VON IHM GEKAUFT?

NEIN, NIE!
WIR HABEN DAVON NIE GENOMMEN.
... DAS WAR IMMER SO WÄSSRIG.

HALTEN SIE SICH FÜR WEITERE VERNEHMUNGEN ZUR VERFÜGUNG.
JA, DAS WILL ICH TUN.

HMPH

ÖCHÖ
ÖCH
HMH

7

SIEBEN TAGE, HERR OBERSTAATS-ANWALT...
... UND DASS ER ENDLICH KOOPERIERT HAT, VERDANKEN WIR NUR DEN IN ALLER SCHÄRFE ANGEWANDTEN VERHÖRMETHODEN.
WIR SIND UNS DOCH EINIG, DASS DIESE... VERHÖRMETHODEN NIEMALS AN DIE ÖFFENTLICHKEIT DRINGEN DÜRFEN!
SELBSTVERSTÄNDLICH, HERR OBERSTAATS-ANWALT.
ES WÄRE AUCH GANZ SINNLOS GEWESEN, WEITER ZU LEUGNEN.
DIE UNTERSUCHUNGSERGEBNISSE SIND HEUTE MORGEN EINGETROFFEN.
FUSSBODEN UND MATRATZE SIND DURCHTRÄNKT VON MENSCHLICHEM BLUT!
DIE GANZE ANGELEGENHEIT HAT AUFS PEINLICHSTE STAUB AUFGEWIRBELT!
... UND WAS DIE ZEITUNGEN AN WIDERWÄRTIGKEITEN ABGEDRUCKT HABEN...
... DAS IST JA ABSTOSSENDER NICHT MEHR ZU DENKEN!

ES KONNTE NUR SO WEIT EINREISSEN, HERR OBERSTAATSANWALT...
... WEIL DIE POLIZEIGEWALT ZU RÜCKSICHTEN GEZWUNGEN WIRD, DIE UNSERE ARBEIT BEHINDERN!
DA MUSS EIN GANZ ANDERER BESEN HER, DER KURZEN PROZESS MACHT MIT DEM KEHRICHT, DER SICH HIER HAT ANSAMMELN KÖNNEN...

... IM SCHUTZE DIESER SOGENANNTEN REPUBLIK!

BITTE SEHR, HERR OBERSTAATSANWALT.

WARUM BLUTET ER AM KOPF?
TREPPE RUNTERGEFALLEN, HERR OBERSTAATSANWALT.
WIE VIELE MORDE HAT ER GESTANDEN?
EINE GENAUE ANZAHL HAT ER NICHT GENANNT...
DREISSICH ODER SECHZICH, GENAU WEISS ICH DAS NICH MEER!
DIE ZEITUNGEN SCHREIBEN, ES SEI VON MEHREREN PERSONEN BEZEUGT, SIE HÄTTEN IM DIENSTE DER POLIZEI GESTANDEN?
ALLES LÜGE...

... MAN WILL BEI IHNEN EINEN AUF IHREN NAMEN AUSGESTELLTEN POLIZEIAUSWEIS GESEHEN HABEN.
LÜGE!
ALLES LÜGE!
HERR OBERSTAATSANWALT...
DER GENERALSTAATSANWALT IST AM TELEFON.

JAWOHL, HERR GENERALSTAATS-ANWALT... HAT GESTANDEN.
IRGEND-WO ZWISCHEN DREISSIG UND SECHZIG.
JA!
... VER-NEINT IM ÜBRI-GEN GANZ ENT-SCHIEDEN, JEMALS EINEN POLIZEIAUS-WEIS BESESSEN ZU HABEN.

KOMMUNIS-TISCHE HETZPRO-PAGANDA, JAWOHL! DER PROZESS...
... ZÜGIG UND OHNE WEITE-RES AUFSEHEN, JAWOHL!
IST AUCH DIE ANSICHT DES POLIZEIPRÄSI-DENTEN.
... KEIN BETREIBEN VON PSYCHOLOGIE IM GERICHTSSAAL, HERR GENERALSTAATS-ANWALT!

ICH WILL GEKÖPPT WERN, DANN HAB ICH ENDLICH RUH.

KÖPPEN UND DAMIT FERTICH!

DEN KOPP KRICH ICH DOCH MIT, NÜCH? DA HAT MIR EINER ERZEHLT, DER BLEIBT HIER!
DEN MUSS ICH DOCH MIT-HABEN!

DEN KRICH ICH DOCH MIT, NÜCH?
SONS BIN ICH NEMICH OHNE KOPP IM HIMMEL!

DEN LASS ICH MIR SONS NEMICH NICH ABHACKEN!
DAS SACH ICH, DASS DER MIT BEERDICHT WIRD!

DENN WERD ICH BEERDICHT UND DENN KRICH ICH FLÜGEL!
MUTTER WARTET IM HIMMEL AUF MICH!

DIE PASST SCHON AUF...

WENN ICH BEI MUTTER BIN, TUT MIR KEINER MEER WAS!

WEIHNACHTEN WILL ICH BEI MUTTER IM HIMMEL SEIN.
DENN MACHEN WIR DIE LICHTER AN UND SINGEN...

O TANNENBAUM O TANNENBAUM...

UND DIE GLOCKEN SOLLN LÄUTEN...
UND HANS SOLL JEDES JAHR KOMM UND 'N KRANZ AUF MEIN GRAB LEGEN.

... WARTE, WARTE NUR EIN WEIL-CHEN ...
... BALD KOMMT HAARMANN AUCH ZU DIR ...
... MIT DEM KLEINEN HACKE-BEILCHEN ...
... MACHT ER HACKEFLEISCH AUS DIR ...

Bundesarchiv, Bild 102-02193, Fotograf: o. Ang.

Fritz Haarmann nach seiner Verhaftung 1924

FRITZ HAARMANN

Ein historischer Überblick von Peer Meter

Deutschland nach dem Ersten Weltkrieg

In der Hölle des Ersten Weltkriegs war das deutsche Kaiserreich untergegangen und hatte ein ganzes Volk mit sich in den Abgrund gerissen. Außenpolitisch isoliert, innenpolitisch instabil und durch den Friedensvertrag von Versailles – der die alleinige Verantwortung des Deutschen Reichs und seiner Verbündeten am Ausbruch des Krieges konstatiert – zu immensen Reparationszahlungen gezwungen, stand die im November 1918 ausgerufene Weimarer Republik von Beginn an auf schwankendem Boden. Soziale Unruhen, Straßenkämpfe, Putschversuche, öffentliche Schießereien und politische Morde prägten in jenen Jahren das Alltagsbild einer bereits durch den Krieg an eine Brutalisierung zwangsgewöhnten Gesellschaft. In einem heute kaum noch vorstellbaren Elend vegetierten große Teile der Bevölkerung vor sich hin. Ein Ende dieser trostlosen politischen und sozialen Verhältnisse war nicht in Sicht. Vielmehr verloren auch immer größere Teile der Mittel- und Oberschicht in einem sich längst abzeichnenden Währungsverfall ihre Besitztümer und rutschten nicht selten ab in bittere Armut. 1923 taumelte alles dem endgültigen Chaos entgegen: Die bisher nur schleichende Inflation kam ins Galoppieren und nahm Dimensionen an, die alles Dagewesene in den Schatten stellten. Der Dollar schoss auf immer unvorstellbarere Rekordhöhen und zuletzt wurde der Preis für ein Brot nur noch in Milliarden gerechnet. Diese katastrophalen gesellschaftlichen Verhältnisse bilden den Hintergrund für einen Kriminalfall, der auf Grund seines schier unglaublichen Ausmaßes als einzigartig in die europäische Kriminalgeschichte eingegangen ist.

»Kriminal« Haarmann

Welche sagen immer, das Menschenfleisch sieht aus wie Schweinefleisch oder wie Kalbfleisch. Nee, das sieht viel schwärzer aus, auch nicht wie Pferdefleisch. Das muss ich doch wissen, ich hab doch immer die Hände voll gehabt.

Aus dem Vernehmungsprotokoll des Fritz Haarmann.

Als habe es zunächst eines Ausprobierens bedurft, so steht Fritz Haarmanns erster Mord im September 1918 völlig isoliert. Dann aber, beinahe fünf Jahre später, brachen in dem mittlerweile Fünfundvierzigjährigen scheinbar unvermittelt sämtliche Dämme. Zwischen Februar 1923 und Juni 1924, innerhalb von nur 16 Monaten also, ermordete er 24 junge Männer: Schüler, Lehrlinge und Wanderburschen. Und jedes Mal lockte er seine Opfer unter Vorspiegelung, ein »Kriminal« zu sein, in ihr Verderben.

Von der hannoverschen Polizei als Spitzel beschäftigt und mit einem Polizeiausweis ausgestattet durchstrich Haarmann Nacht für Nacht die Wartesäle des Hauptbahnhofs, wo er seine Opfer in allein reisenden jungen Männern fand. Er führte sie in seine Wohnung in der Altstadt von Hannover, damals

ein heruntergekommenes Armenviertel und verrufen als Zentrum allen Lasterlebens. Hier vergewaltigte er die Ahnungslosen, die auf nichts weiter als eine Mahlzeit und ein Nachtlager gehofft hatten, und biss ihnen im Sexualrausch die Kehle durch.
Vermisstenanzeigen verzweifelter Eltern wurden von der hannoverschen Polizei abgeblockt, so dass Angehörige der Opfer schließlich auf eigene Rechnung Nachforschungen

Bundesarchiv, Bild 102-00544, Fotograf: o. Ang.

Ort des Schreckens: Wohnhaus des Fritz Haarmann in der Neuen Straße Nummer 8, 1924

anstellten, die in mehreren Fällen an der Wohnungstür von Fritz Haarmann endeten. Die Polizei aber wurde nicht tätig, sondern ließ entsprechende Anzeigen in der täglichen Aktenflut versinken.
Haarmann lebte dabei keineswegs im Dunkeln oder zurückgezogen und isoliert von der Gesellschaft. Im Gegenteil: Bei ihm ging es stets lustig zu und ganze Nächte wurden durchgefeiert. Wiederholt kam es daher auch aus der Nachbarschaft zu Anzeigen, doch der unglaubliche Zufall wollte es, dass wann immer die Polizei bei ihm vorsprach oder gar Hausuchung hielt, nichts Besonderes zu entdecken war. Und so hieß es bald nur noch achselzuckend: »Es hat doch keinen Zweck, das Treiben anzuzeigen. Haarmann behält immer Recht. Er ist mit allen Beamten auf du und du.«

Haarmanns frühe Jahre

Friedrich (genannt Fritz) Haarmann wurde am 25. Oktober 1879 in Hannover geboren und wuchs in sozial schwierigen Verhältnissen auf. Sein Vater war als arbeitsscheuer, gewalttätiger Trinker verschrien. Nach vorzeitig beendeter Schullaufbahn und abgebrochener Schlosserlehre besuchte Fritz Haarmann als Sechzehnjähriger eine Unteroffiziersschule. Bereits hier wurden »Anzeichen von geistiger Störung« bemerkt, die noch im selben Jahr zu seiner Entlassung führten. Im darauffolgenden Jahr kam es zum ersten Strafverfahren gegen Haarmann: In mehreren Fällen hatte er »unzüchtige Handlungen« an Nachbarskindern vorgenommen. Zur Überprüfung seines Geisteszustandes wies man ihn in die Heil- und Pflegeanstalt Hildesheim ein, wo »unheilbar angeborener Schwachsinn« diagnostiziert wurde.

In den Akten der hannoverschen Polizei fortan als »gemeingefährlicher Geisteskranker« geführt, nahm man ihn in der Hildesheimer »Irrenanstalt« in Gewahrsam, aus der er mehrfach floh. Als er in die »Idiotenanstalt Langenhagen« überführt worden war, gelang ihm abermals die Flucht und er tauchte für einige Zeit in der Schweiz unter, bevor er nach Hannover zurückkehrte. Hier bekam er von der Polizei anstandslos ein »Unbescholtenheitszeugnis« ausgestellt. 1900 wurde Haarmann zum Militärdienst einberufen, jedoch als »erheblich schwachsinnig« eingestuft und schließlich aus dem Militärdienst als »dienstunbrauchbar und teilweise erwerbsunfähig« entlassen. Er erhielt seitdem eine militärische Rente von monatlich 21 Mark.

Von diesem Zeitpunkt an bis zu seiner Verhaftung 22 Jahre später führte er in Hannover ein Leben als Krimineller, als Hehler und Betrüger und verbüßte wiederholt mehrjährige Zuchthausstrafen. Wie sich aber dieser Kleinkriminelle 16 Jahre darauf in einen Menschen verwandeln konnte, der ungeheuerliche Taten verübte, bleibt im Dunkeln.

Haarmanns Schlachthaus in Hannover

Ein Mensch ist nicht viel, höchstens eine Aktentasche voll.

Aus dem Vernehmungsprotokoll des Fritz Haarmann.

Die ersten sechs Morde verübte Haarmann in der an der Leine gelegenen Neuen Straße. Dann zog er einige Gassen weiter, in das eigentliche Mordhaus in der Roten Reihe um. Unterm Dach der »Engel'schen Schankwirtschaft«, die er mit Fleisch zu beliefern pflegte, richtete er sich in einer nur etwa sieben Quadratmeter kleinen Kammer ein. Das seegrasgepolsterte Feldbett, der Fußboden und die Holzwände erweisen sich bei späteren Untersuchungen als von Menschenblut durchtränkt. 18 Morde geschahen hier, in einem dicht bewohnten Haus, inmitten einer übervölkerten Straße und innerhalb nicht einmal eines Jahres.

Bundesarchiv, Bild 102-00882, Fotograf: o. Ang.

Ärmliche Verhältnisse: Haarmanns Mansardenzimmer in der Roten Reihe, 1924

Nur durch dünne Tapetenwände von den Nachbarwohnungen getrennt schlachtete Haarmann seine Opfer auf bestialische Weise. Die Knochen und Schädel warf er in einen Nebenarm der durch die Altstadt fließenden Leine; Innereien und blutdurchtränkte Lappen ließ er in den Klosetts verschwinden. Was mit dem Fleisch seiner Opfer geschah, konnte nie geklärt werden. Manchen Hannoveraner aber, der monatelang von Haarmann billiges Fleisch bezogen hatte, packte nach dessen Verhaftung das schiere Entsetzen.

Bundesarchiv, Bild 102-00883, Fotograf: o. Ang.

»Totenkammer«: die Mauernische, in welcher Haarmann die Leichen seiner Opfer in der Wohnung aufbewahrte, 1924

Nachdem im Mai und Juni 1924 (allein vom 9. Mai bis zum 14. Juni, den letzten fünf Wochen vor seiner Verhaftung, ermordete Haarmann noch fünf Menschen) beinahe täglich menschliche Leichenteile und Schädel an den Ufern der Leine angeschwemmt worden waren, drohte unter der Bevölkerung Hannovers eine Panik auszubrechen. Man beschloss, das Gewässer trockenzulegen, um das Flussbett systematisch auf menschliche Überreste absuchen zu können. Das Ergebnis war schockierend. Es wurden über 500 menschliche Knochen und Knochenteile gefunden. Die gerichtsmedizinische Auswertung ergab, dass sie von mindestens 22 jungen Männern stammen mussten.

Gemeinsam war all diesen Knochenfunden, dass sie mit einem scharfen Messer sauber aus den Gelenken herausgetrennt worden waren.

Unter den Augen der Polizei

Bereits Haarmanns erster Mord im September 1918 hätte bei einer gründlicheren Untersuchung durch die Polizei leicht aufgedeckt werden können. Nachdem Freunde des Ermordeten bei eigenen Nachforschungen rasch auf Fritz Haarmann gestoßen waren, erstatteten die Eltern des Opfers Anzeige. Ein Kriminalbeamter überraschte daraufhin Haarmann in dessen Wohnung mit einem Jungen im Bett. Haarmann wurde verhaftet und erhielt neun Monate Gefängnis wegen »Verführung eines Knaben«. Auf spätere Nachfrage, warum er nicht bei der Gelegenheit eine Haussuchung in Haarmanns Zimmer abgehalten hätte, erklärte der Beamte lapidar: »Ich hatte dazu keinen Auftrag.« In den Verhören erzählte Haarmann über jenen ersten Mord: »Damals, als der Kriminalbeamte uns verhaftete, steckte der Kopf des ermordeten Knaben unter Zeitungspapier hinterm Ofen. Ich habe ihn später im Stöckener Friedhof verscharrt.«

Haarmanns Verhaftung und der Prozess

Ich will geköppt werden. Köppen – und damit fertig.

Aus dem Vernehmungsprotokoll des Fritz Haarmann.

Parallel zu den Knochenfunden erinnerte man sich jetzt bei der hannoverschen Polizei der vielen Anzeigen gegen Haarmann. Man stellte die Fakten zusammen und plötzlich konnte es kaum noch einen Zweifel daran geben, in Fritz Haarmann den gesuchten Menschenschlächter gefunden zu haben. Ein Mann, der noch tags zuvor auf Hannovers Polizeiwachen ein- und ausgegangen war. Allerdings konnten für Haarmanns Schuld

Bundesarchiv, Bild 102-02193, Fotograf: o. Ang.

Wurde ebenfalls inhaftiert und angeklagt: Haarmanns Vertrauter Hans Grans

keinerlei Beweise beigebracht werden. Daher war es unmöglich, einen Haftbefehl gegen ihn zu erwirken. Auch konnte man ihn nicht heimlich überwachen lassen, da ihm auf Grund seiner Spitzeltätigkeit jeder Polizist Hannovers wohlbekannt war. So wurden zwei junge Kriminalbeamte aus Berlin angefordert, die sich auf dem Bahnhof als Obdachlose herumtreiben und Haarmanns Aufmerksamkeit erregen sollten. Doch dessen Festnahme sollte schließlich durch einen Zufall erfolgen. Auf der Bahnhofswache war er mit einem jungen Mann, den er seit einigen Tagen bei sich aufgenommen hatte, in Streit geraten. In der Folge des Streits bezichtigte der junge Mann Haarmann vor den Beamten der »widernatürlichen Unzucht«. Auf Grund dieser Anschuldigung erfolgte am 23. Juni 1924 die Verhaftung Fritz Haarmanns. Nach anfänglichem Leugnen gestand er rasch Mord auf Mord. In der ihm eigenen eigentümlichen Sprache pflegte Haarmann nach Vorhaltung der Namen vermeintlicher Opfer nur zu sagen: »Schreiben Sie man dazu.«

Bundesarchiv, Bild 102-00824, Fotograf: o. Ang.

Kurz vor Prozessbeginn: Fritz Haarmann (Zweiter von links) in Polizeigewahrsam, November 1924

Der anschließende Prozess geriet zum Justizskandal. Wäre nicht mit dem Schriftsteller Theodor Lessing ein Prozessbeobachter in Hannover gewesen, der sich keiner Zensur beugte, der sich nicht einschüchtern ließ, bis er zuletzt des Gerichtssaals verwiesen wurde, vielleicht wäre die ungeheuerlichste Vertuschung in der Geschichte der deutschen Justiz geglückt. Denn das Gericht erhielt von der Justizbehörde Weisung, den Prozess »ohne öffentliches Ärgernis, unter Vermeidung der Bloßstellung von Ämtern und Behörden innerhalb von zwölf bis vierzehn Verhandlungstagen rasch zu erledigen«. Doch durch Lessings Veröffentlichungen kam schonungslos ans Licht, was man so sorgsam zu vertuschen versucht hatte: Haarmanns Spitzeltätigkeit, der Polizeiausweis, die zahllosen unbeachteten Anzeigen. Ein ganzer Sumpf von Korruption wurde durch den Kriminalfall Haarmann stückweise ans Licht der Öffentlichkeit gezerrt.

Am 19. Dezember 1924 wurde das Urteil gegen Fritz Haarmann verkündet. Er wurde in 24 Fällen 24 Mal zum Tode verurteilt. Am 15. April 1925 wurde das Todesurteil in Hannover vollstreckt.

Bundesarchiv, Bild 102-06186, Fotograf: o. Ang.

Immer lächeln, bitte: Haarmann unmittelbar nach der Urteilsverkündung vor dem Schwurgericht in Hannover

DIE PERSONEN DIESER GESCHICHTE UND IHR HISTORISCHER BEZUG

HANS GRANS *Haarmanns Intimus*

Grans, bei Haarmanns Verhaftung 23 Jahre alt, entstammte einer bürgerlichen hannoverschen Familie. Sein Vater war Buchhändler. Er selbst allerdings zog ein Leben in der Unterwelt als Betrüger, Hehler und Zuhälter vor. Hier lernte er Fritz Haarmann kennen und wurde über Jahre dessen Intimus und Vertrauter. Zeitweilig teilten sie sich die Wohnung. Im Prozess von Haarmann der Mittäterschaft an den Morden beschuldigt, wurde Grans zum Tode verurteilt. Erst durch Haarmanns Widerrufung dieser Anschuldigungen wurde die Todesstrafe in eine zwölfjährige Freiheitsstrafe umgewandelt.
1933 wurde Grans von der nationalsozialistischen Justiz als Schwerverbrecher eingestuft und später ins Konzentrationslager Sachsenhausen verbracht. Erst 1946 erlangte er die Freiheit. Danach verlor sich zunächst seine Spur. 1974 trat er überraschend an die Öffentlichkeit und gab der *Hannoverschen Allgemeinen Zeitung* ein Interview. Unter neuem Namen lebte er zusammen mit seiner Frau wieder in Hannover. In größter Verbitterung beteuerte er seine Unschuld und klagte an, zu Unrecht verurteilt worden zu sein. Er starb in den Siebzigerjahren in Hannover.

CHRISTIAN CLOBES *Tabakwarenhändler*

Clobes gehörte zum Kreis der wenigen Personen, die von Anfang an nicht nur Verdacht gegen Haarmann gehegt, sondern sein Treiben wiederholt bei der Polizei angezeigt hatten. Schräg gegenüber von Haarmanns Wohnung führte er einen Zigarrenladen und war dadurch täglich Zeuge von dessen Lebenswandel. So beobachtete er immer wieder, dass junge Männer in Haarmanns Wohnung verschwanden. Da seinen Mordtheorien keinerlei Glauben geschenkt wurde, entwickelte sich das Gerede, Haarmann verkaufe junge Männer nach Afrika, an die Fremdenlegion. Im Prozess wurde alles versucht, diese frühen Verdächtigungen und Anzeigen gegen Fritz Haarmann nicht öffentlich werden zu lassen.

FRIDOLIN WEGEHENKEL *Friseur*

»Nicht weit von Haarmanns Wohnung befand sich der Friseurladen von Fridolin Wegehenkel, wo das ganze Viertel sich rasieren und verschönern ließ«, schreibt Theodor Lessing. Allerdings war der Friseurladen nicht nur Verschönerungsanstalt, sondern auch Dreh- und Angelpunkt vieler dunkler Schiebergeschäfte. Haarmann verkehrte dort täglich und verschob Kleidung der Ermordeten und Fleisch. Bei Wegehenkel feierte man gemeinsam Weihnachten und Neujahr. Überhaupt ging es stets lustig zu im Friseurladen von Wegehenkel, dem geheimen Treffpunkt zahlreicher Gauner und Hehler von Hannover. Im Prozess als Zeuge geladen, verstand es Wegehenkel, sich aus jeglicher Mitverantwortung an dieser beispiellosen Mordserie herauszuwinden.

ELISABETH ENGEL ***Hehlerin***

»Ein kleiner, mit allen Wassern gewaschener Zwergteufel«, so nennt Theodor Lessing die damals fünfzigjährige Elisabeth Engel. Sie war dreimal verheiratet und Mutter von acht Kindern, von denen allerdings nur eines am Leben blieb. Ihr Mann betrieb in der Roten Reihe eine kleine Schankwirtschaft; sie selbst handelte mit den Kleidern der Opfer von Haarmann und arbeitete zudem als Reinemachefrau auf dem Polizeipräsidium. Hier sah sie Haarmann ein- und ausgehen und hielt ihn daher für einen »Kriminal«. Nachdem er die kleine Dachkammer im Engel'schen Hause bezogen hatte, setzten jene seltsamen Fleischlieferungen an die familieneigene Gaststätte ein. In der Küche der Engels wurden große Mengen davon abgebraten und auch gemeinschaftlich verzehrt. Kurz vor Haarmanns Verhaftung wollte Elisabeth Engel kein Fleisch mehr von ihm bezogen haben, weil den Leuten davon angeblich übel wurde. Während des Prozesses gegen Fritz Haarmann spielte die Engel sich als Zeugin auf und belastete ihn schwer.

WILHELM MÜLLER ***Kriminalkommissar***

Kommissar Müller, der Haarmann als Spitzel in Dienst gestellt hatte, konnte sich, durch die hannoversche Justizbehörde gedeckt, während des Prozesses und auch im Anschluss aus der Schusslinie halten. Dass Haarmann im Besitz eines Polizeiausweises gewesen war, steht außer Frage. Es konnte jedoch nie eindeutig geklärt werden, wie er an diesen Ausweis gelangt war. Einige Autoren nennen Kommissar Müller als Bezugsquelle, andere einen Kriminalkommissar a.D. Olfermanns, der mit Haarmann in Hannover ein ominöses Detektivbüro namens »Amerikanisches Detektivinstitut Lasso« betrieb.

DR. ALEX SCHACKWITZ ***Gerichtsmedizinalrat***

Der Mediziner Schackwitz, der bei der Untersuchung der in Haarmanns Wohnung aufgefundenen Fleischstücke so kläglich versagt hatte, schlug nach Prozessende noch privat Kapital aus dem traurigen Kriminalfall, indem er mit einem dreistündigen Lichtbildvortrag über Haarmann durch Deutschland reiste.
Konsequenzen im Polizeiapparat von Hannover fanden nicht statt.

Foto: Privat

PEER METER, geboren 1956 in Bremen, lebt als freier Schriftsteller in Worpswede. Nach Jahren der Arbeit am Theater und als Autor von Kurzprosa und Sachbüchern hat er sich zuletzt wieder verstärkt dem Comic zugewandt, dem er sich zeitlebens verbunden fühlt. Neben seiner Kooperation mit Isabel Kreitz entstand unter anderem mit der Zeichnerin Barbara Yelin die viel beachtete Graphic Novel *Gift* (Reprodukt), in deren Zentrum das Schicksal der Bremer Giftmörderin Gesche Gottfried steht. Für David von Bassewitz verfasste Peer Meter das Szenario zu dem Comic-Drama *Vasmers Bruder*.
Aktuelle Informationen zu Autor und Werk finden sich unter: www.peermeter.de

Foto: Thomas Müller, Hamburg

ISABEL KREITZ, Jahrgang 1967, studierte an der Fachhochschule für Gestaltung in Hamburg und besuchte im Anschluss die Parsons School of Design in New York. Seit 1994 veröffentlichte sie zahlreiche Comic-Erzählungen, darunter *Ohne Peilung* (1995), *Waffenhändler* (1998, beide Carlsen) und *Gier* (Zwerchfell Verlag, 2003). 2006 legte sie im Cecilie Dressler Verlag eine Comic-Adaption von Erich Kästners *Der 35. Mai* vor, die 2008 mit dem »Max und Moritz-Preis« ausgezeichnet wurde. 2009 folgte mit *Pünktchen und Anton* eine weitere Kästner-Bearbeitung. Für ihre 2008 veröffentlichte Graphic Novel *Die Sache mit Sorge* (Carlsen) erhielt Isabel Kreitz im selben Jahr den »Sondermann-Preis« der Frankfurter Buchmesse. 2009 entstand für die *Frankfurter Rundschau* eine wöchentliche Comic-Serie zur Geschichte der Bundesrepublik Deutschland, 2010 erschien im Verlag Dumont die von ihr illustrierte Erzählung *Hotel Angst* von John von Düffel. Isabel Kreitz lebt und arbeitet in Hamburg.

ISABEL KREITZ BEI CARLSEN

Die Entdeckung der Currywurst
(nach Uwe Timm, 1996/2005)
Sushi entdecken (mit Junko Iwamoto, 2004)
Die Sache mit Sorge (2008)
Haarmann (mit Peer Meter, 2010)

Der siebzehnjährige Schüler **FRIEDEL ROTHE** war das einzige Kind der Eheleute Rothe, wel
Hier machte er unter anderem Bekanntschaft mit Haarmann. Seit dem 25. September 1918 fehlt von
1923 vermisst. Er trug einen Stepphut, grauen Anzug, dunklen Schlüpfer, gelben gestreiften Wollsch
auf dem Bahnhof ansprach. Fritz Franke ist seither verschwunden — Der siebzehnjährige Lehrling W
haus verlassen hatte, wurde bei der Zeugin Engel beschlagnahmt — Der sechzehnjährige Schüler R
dem wird er vermisst. Den Anzug Huchs hatte Haarmann kurz nach dessen Verschwinden im Laden de
SONNENFELD wird seit dem 3. Juni 1923 in Hannover vermisst. Unter den bei Haarmann be
ein wollener, hellgrün-blauer Schal und ein weißer Schlips mit grünen Querstreifen dem Besitz ihre
am Abend des 29. Juli 1923 die elterliche Wohnung in Richtung Bahnhof. Seither wird er vermisst
erkannt. Die Hosenträger hatte Grans von Haarmann erhalten — Der achtzehnjährige Bürogehilfe
gestellten Gegenständen unter anderem einen Schlüsselbund zweifelsfrei identifiziert. Die S
BRONISCHEWSKI wird seit dem 24. September 1923 vermisst. An jenem Tag hatte er auf
schewskis Verschwinden dessen Sportjacke an Frau Engel sowie dessen Tornister, Stutzen und Hose
ver, erzählte seinem Bruder Anfang Oktober 1923, er habe auf dem Bahnhof eine Zusammenkunft m
Anzug mit blauen und rötlichen Streifen. Der Anzug wurde unter den Asservaten ausfindig gemacht
Lehrling **WILHELM ERDNER** wird seit dem 15. Oktober 1923 vermisst. Er wurde von mehre
ständen ist die Hose des Vermissten von den Eltern eindeutig identifiziert worden. Besagte Hose ha
ler **HEINZ BRINKMANN** wollte am 27. Oktober 1923 seinen Bruder in Hannover besuch
hat diese Kleidungsstücke unter den Asservaten ausgemacht. Den Anzug hatte Haarmann kurz nach
HANNAPPEL fuhr am 9. November 1923 nach Hannover, um dort Arbeit zu suchen. Seitden
beschlagnahmt. Seine Breecheshose wurde bei Grans vorgefunden — Der siebzehnjährige Schlosser
Seit dem 3. Januar 1924 ist er verschollen. Unter den asservierten Objekten wurden von seinen El
getragen, die übrigen Sachen hatte er Grans vermacht, der das Oberhemd Spieckers bei seiner Festr
Januar 1924 in Hannover gesehen. Danach verliert sich seine Spur. Unter den von der Polizei siche
Hose Kochs hatte Haarmann gleich nach dessen Verschwinden verkauft, den Binder an Frau Engel
WILLI SENGER verabschiedete sich am 2. Februar 1924 von seiner Familie mit den Worten,
den bei Haarmann sichergestellten Kleidungsstücken aufgefunden worden — Der sechzehnjährige L
auf dem Bahnhof herumgetrieben und dort die Bekanntschaft Haarmanns gemacht. Seine Unterjacke,
ling **ALFRED HOGREFE** wurde zuletzt am 6. April 1924 im hannoverschen Hauptbahnhof a
fanden sich unter den beschlagnahmten Kleidungsstücken der Frau Engel — Der sechzehnjährige Ka
Haarmann konfiszierten Kleidungsstücken befanden sich Apels Manchesterhose und ein Paar von der
1924 von seiner Mutter fünfzig Pfennig, um den Zirkus zu besuchen. Seitdem ist er vermisst. Sein g
frei von den Eltern erkannt — Der fünfzehnjährige Lehrling **HEINZ MARTIN** aus Chemnitz w
und traf beim Umsteigen in Hannover auf Haarmann. Unter den asservierten Kleidungsstücken warer
keltes Hemd — Der achtzehnjährige **FRITZ WITTIG** aus Cassel war Reisender für eine Süßwar
war eine in Hannover am 14. Mai 1924 abgestempelte Postkarte. Der Anzug Wittigs fand sich unte
schwand am 26. Mai 1924. Sein grauer Sweater mit grüner Borte gehörte zur den bei Grans sicherg
5. Juni 1924 von zwei Freunden dabei beobachtet, wie er mit Haarmann durch Hannover ging. Seitd
trägt, wurden in Haarmanns Wohnung gefunden — Der siebzehnjährige Bäckergeselle **ERICH D**
dem ist er vermisst. Unter den bei Haarmann beschlagnahmten Kleidungsstücken fand sich sein bla